어 휘 목 록 5학년 1학기

복습할 때 활용하세요.

□ 각 장을 공부한 후 아직 알쏭달쏭한 어휘의 □ 안에 ✓표 하세요.
□ 해당 쪽수로 돌아가서 어휘를 다시 한번 꼼꼼히 공부하여 확실하게 익혀 봅시다.

초등국어 어휘력 향상을 위한

어휘 왕

5-1

이룸이앤비
Education & Books

어휘력이 성장하는 빅뱅 시기, 초등 6년!

어느 언어학자의 연구 결과에 따르면,

학생들의 키는 보통 사춘기에 폭풍 성장하는데,

어휘력은 그보다 더 이른 초등 시기에 폭발적으로 늘어난다고 합니다.

보통 초등학교에 입학하기 전 아이들의 어휘력 수준은

약 5,000 단어를 아는 데 불과합니다.

그런데 **초등학교 6년의 과정을 거치면서 약 40,000 단어 이상을 습득하게 됩니다.**

초등 시기에 매년 6,000 단어 이상의 새로운 어휘를 습득하게 되는 셈입니다.

매우 놀라운 사실은 일반 사람들이 원만한 사회생활을 하는 데

필요한 어휘의 85%를 바로 초등 시기에 익히게 된다는 점입니다.

그래서 **초등학생 때를 "어휘의 빅뱅* 시기"라고** 부르기도 합니다.

(빅뱅이라는 말은 우주가 어느 날 폭발적으로 팽창하면서 커지게 되었다는 학설입니다.)

이러한 빅뱅 시기에 어휘 학습을 제대로 해 놓아야 그 효과를 톡톡히 볼 수 있겠지요?

혹여나 '어휘 학습은 그냥 국어 공부잖아, 다음에 봐서 학원에 보내면 되겠지.'

라고 생각하면 큰 오산입니다.

어휘의 빅뱅 시기를 너무 안일하게 생각하면 때는 늦습니다.

공부가 때가 있다는 말들을 하지요?

이는 뇌 구조상 쉽게 기억되고 받아들이는 때가 있다는 말입니다.

많은 양을 공부할 필요는 없습니다.

하루에 20~25개 정도의 어휘만 꾸준히 학습하면 됩니다.

'초등국어 어휘왕'은 바로 어휘의 빅뱅 시기를 맞이한 초등학생 여러분의 어휘력을

성장시켜 줄 좋은 친구가 될 것입니다.

초등국어 어휘왕의 특장점은?

1 **교과서에 나오는 주요 어휘를 학습할 수 있습니다.**

초등 교과서에만 약 3만 개가 넘는 어휘가 수록되어 있어요. 교과서는 학생에게 가장 유익하고 체계적인 학습 교재라는 점을 고려해 볼 때, 초등 교과서로 어휘 학습을 시작하는 것은 매우 합리적인 방법이라고 할 수 있습니다. '초등국어 어휘왕'은 초등학교 교과서에 수록된 어휘들을 단원별로 정리하여 문제로 제시하고 있어요.

2 **적절한 분량으로 학습 스케줄을 짤 수 있습니다.**

초등학생이 집중해서 학습할 수 있는 시간은 약 20~30분 정도예요. 너무 많은 양을 한꺼번에 학습하려다 보면 부담을 느낄 수 있어요. '초등국어 어휘왕'은 단원별 어휘들을 조금씩 꾸준히 학습할 수 있도록 학습 일차를 구분해 두었어요.

3 **다양한 유형의 문제로 재미있게 어휘를 익힐 수 있습니다.**

어휘를 단순히 암기하는 방식은 학습 효율 면에서 좋지 않습니다. '초등국어 어휘왕'은 문제를 통해 자연스럽게 어휘의 의미를 익힐 수 있도록 하였어요. 또한 반복되는 지루한 학습 패턴이 아닌, 여러 가지 다양한 유형을 통해 학습할 수 있도록 구성하고 있어요.

4 **부모님이 자녀를 지도할 수 있는 자료로 활용할 수 있습니다.**

풍부한 어휘력을 갖추려면, 꾸준한 학습과 노력이 뒤따라야 합니다. 학생이 꾸준하게 어휘를 공부할 수 있도록 하는 데에는 부모님의 역할이 매우 중요합니다. '초등국어 어휘왕'은 이러한 고민을 바탕으로, 다양한 놀이 형태의 문제들을 학생과 부모가 함께 해 나갈 수 있도록 만들었습니다. 부모님은 해설집을 통해 부분적으로 필요한 내용들을 지도 자료로 활용할 수 있습니다.

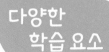

초등국어 어휘왕, 재밌고 다양한 문제로 공부해요.

---

1 새로운 어휘 학습

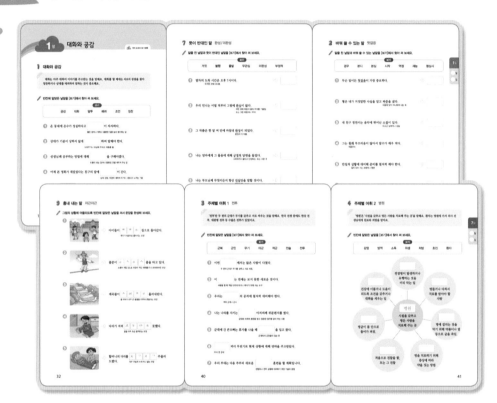

〈단원별 주요 어휘〉, 〈주제별 어휘〉, 〈합쳐진 말〉, 〈태도·동작을 나타내는 말〉, 〈꾸며 주는 말〉, 〈소리나 모양을 흉내 내는 말〉, 〈단위를 나타내는 말〉, 〈바꿔 쓸 수 있는 말〉, 〈뜻이 반대인 말〉 등의 새롭고 낯선 어휘들을 학습해 보세요.

---

2 기초 맞춤법

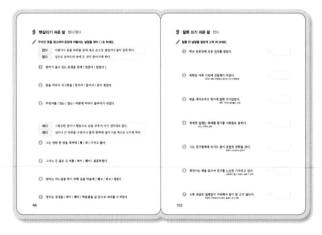

〈잘못 쓰기 쉬운 말〉, 〈헷갈리기 쉬운 말〉, 〈문장 부호〉 등의 맞춤법에 관련된 올바른 표현을 익혀 보세요.

3 띄어쓰기/원고지 쓰기

〈띄어쓰기〉를 포함하여 〈원고지 쓰기〉 등의 실제 글 쓰는 방식 등을 점검해 보세요.

4 올바른 발음

표준 발음법에 따른 〈올바른 발음〉에 대해 학습해 보세요.

5 문장 표현

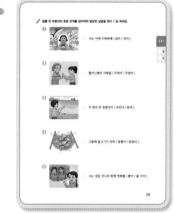

〈높임 표현〉, 〈시간 표현〉, 〈부정 표현〉, 〈행동을 하게 하는 말〉, 〈행동을 당하는 말〉 등 기초적인 문법 지식을 배워 보세요.

6 타교과 어휘

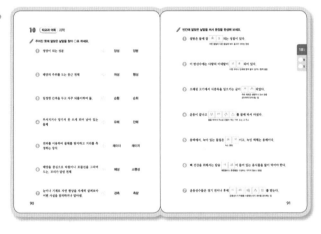

각 학기의 [사회], [과학], [도덕], [수학]의 교과서에 나오는 주요 어휘들을 공부해 보세요.

7 어휘력을 높이는 확인 학습

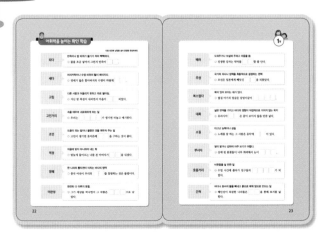

앞에서 공부한 어휘들을 다시 한번 확인해 보면서 확실한 어휘 학습이 되었는지 점검해 보세요.

학생들의 학습을 도와주세요!

기본 학습

일차별로 꾸준하게 공부하게 합니다.

학습 스케줄에 따라 하루에
25~30개의 정도의 낱말을 꾸준하게
공부할 수 있도록
지도하는 것이 좋습니다.

20~30분 집중하여 학습하게 합니다.

시간을 정해 두고
한 번에 집중해서 학습하도록
하는 것이 바람직합니다.

점검 학습

단원별로 공부한 어휘를 점검하게 합니다.

3일차 학습이 끝나는 대로 10분 정도의
시간을 별도로 할애하여 '어휘력을 높이는
확인 학습' 코너를 활용하여 주요 어휘들을
숙지하였는지 확인해야 합니다.

모바일 앱을 통해 학습한 내용을 복습하게 합니다.

본 교재는 모바일에서 '초등국어 어휘왕' 앱을
제공합니다. 이를 다운 받아, 하루에 학습한
낱말을 복습할 수 있도록
지도할 수도 있습니다.

도움 학습

궁금해할 만한 내용은 해설을 보고 직접 설명해 줍니다.

'정답 및 해설'에 알아 두면
유익한 내용들을 이해하기 쉽도록
별도로 설명해 두었습니다.
이를 학생에게 설명하여 이해를
돕는 것이 중요합니다.

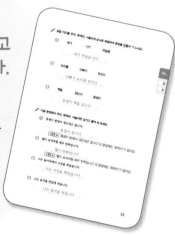

1장 대화와 공감

1 대화와 공감

대화는 마주 대하여 이야기를 주고받는 것을 말해요. 대화를 할 때에는 서로의 장점을 찾아 칭찬하거나 상대를 배려하며 말하는 것이 중요해요.

빈칸에 알맞은 낱말을 [보기]에서 찾아 써 보세요.

보기

공감   대화   말투   배려   조언   칭찬

1 온 동네에 은수가 성실하다고 [   ]이 자자하다.
좋은 점이나 착하고 훌륭한 일을 높이 평가하는 말

2 상대가 기분이 상하지 않게 [   ]하며 말해야 한다.
도와주거나 보살펴 주려고 마음을 씀.

3 선생님께 공부하는 방법에 대해 [   ]을 구해야겠다.
도움이 되는 말이나 몰랐던 것을 깨우쳐 주는 말

4 어제 본 영화가 재밌었다는 친구의 말에 [   ]이 간다.
남의 감정, 의견에 대하여 자기도 그렇다고 느끼는 기분

5 언니의 [   ]는 상냥해서 다른 사람들의 기분을 좋게 한다.
말을 하는 버릇이나 형식

6 영수가 [   ] 도중에 끼어들어 내일 숙제가 무엇이냐고 물었다.
마주 대하여 하는 이야기

10

2 바꿔 쓸 수 있는 말 첫걸음

✏️ 밑줄 친 낱말과 바꿔 쓸 수 있는 낱말을 [보기]에서 찾아 써 보세요.

보기

| 경우 | 본디 | 본심 | 시작 | 역정 | 재능 | 평상시 |

1 무슨 일이든 첫걸음이 가장 중요하다.   ⇨ ☐

2 형은 내가 거짓말한 사실을 알고 짜증을 냈다.   ⇨ ☐
　　　　　　　　　　　　마음에 맞지 아니하여 내는 화

3 내 친구 정연이는 음악에 뛰어난 소질이 있다.   ⇨ ☐
　　　　　　　　　　　　　　타고난 능력이나 성질

4 그는 원래 부끄러움이 많아서 말수가 매우 적다.   ⇨ ☐
　　　　처음부터

5 만일의 상황에 대비해 준비를 철저히 해야 한다.   ⇨ ☐
　　　　일이 되어 가는 과정이나 형편

6 나는 주말에도 평소와 같이 일찍 아침을 먹는다.   ⇨ ☐
　　　　　　　특별한 일이 없는 보통 때

7 진우는 속마음을 잘 말하지 않아서 도통 진심을 알 수가 없다.   ⇨ ☐
　　　　　　　　　　　　　　거짓이 없이 참된 마음

11

3 뜻을 더하는 말 1 –거리

✏️ 밑줄 친 말을 한 낱말로 바꿔 써 보세요.

❶ 그는 <u>일을 하여 돈을 벌 재료</u>가 많아 늘 부지런하게 일을 했다.

➡️ 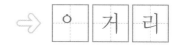 ㅇ 거 리

❷ 엄마는 나에게 <u>국을 끓이는 데 넣는 재료</u>로 쇠고기를 사 오라고 하셨다.

➡️  ㄱ 거 리

❸ 내가 좋아하는 이 책에는 <u>읽을 만한 재료</u>가 풍부하다.

➡️  ㅇ ㅇ 거 리

❹ 요즘 <u>속을 태우며 괴로워하게 하는 일</u> 때문에 도통 입맛이 없다.

➡️  ㄱ ㅁ 거 리

❺ 나의 버릇이 남에게 <u>비웃음을 살 만한 일</u>로 여겨지리라고는 생각하지 못했다.

➡️ 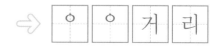 ㅇ ㅇ 거 리

❻ 남을 망신 주려다 오히려 자기가 <u>망신을 당할 만한 재료</u>가 되어 버리고 말았다.

➡️  ㅁ ㅅ 거 리

❼ 선생님은 가끔 자신의 경험을 <u>이야기할 만한 재료나 소재</u>로 삼아 들려주셨다.

➡️  ㅇ ㅇ ㄱ 거 리

4 뜻을 더하는 말 2 −스럽다

'−스럽다'는 '그러한 성질이 있음.'의 뜻을 더하고 낱말의 쓰임을 바꾸는 말이에요.

✏ 빈칸에 알맞은 낱말을 [보기]에서 찾아 활용하여 써 보세요.

```
┌──────────── 보기 ────────────┐
   복스럽다     걱정스럽다    과장스럽다     사랑스럽다
   억지스럽다    자랑스럽다    자연스럽다
└──────────────────────────────┘
```

① 내 동생의 얼굴은 동글동글 [   ] 생겼다.
　　　　　복이 있어 보이는 데가 있게

② 텔레비전의 광고는 너무 [   ] 경우가 많다.
　　　　　사실보다 지나치게 불려서 나타내는 듯한

③ 그는 회의를 할 때 [   ] 주장을 되풀이했다.
　　　　　억지를 부리거나 억지로 하는 데가 있는

④ 나를 반기는 강아지가 무척 [   ] 안아 주었다.
　　　　　생김새나 행동이 사랑을 느낄 만큼 귀여운 데가 있어

⑤ 주인공의 연기가 [   ] 영화에 몰입이 잘되었다.
　　　　　억지로 꾸미지 아니하여 이상함이 없어

⑥ 나는 우리 아빠가 경찰이라는 것을 늘 [   ] 여긴다.
　　　　　남에게 드러내어 뽐낼 만한 데가 있게

⑦ 엄마는 내가 기침하는 모습을 [   ] 눈빛으로 바라보셨다.
　　　　　걱정이 되어 마음이 편하지 않은 데가 있는

13

5 형태는 같은데 뜻이 다른 말 1 세다

'힘이 많다.'라는 뜻을 가진 말도 '세다'이지만 '사물의 수를 헤아리거나 꼽다.', '머리카락이나 수염 따위의 털이 희어지다.'라는 뜻을 가진 말도 '세다'예요. 이처럼 형태는 같지만 뜻이 서로 다른 낱말을 '동형어'라고 해요.

밑줄 친 낱말에 알맞은 뜻을 찾아 기호를 써 보세요.

> **세다**
> ㉠ 힘이 많다.
> ㉡ 사물의 수를 헤아리거나 꼽다.
> ㉢ 머리카락이나 수염 따위의 털이 희어지다.

1 할아버지의 수염이 허옇게 <u>세었다</u>. ⇨ ☐

2 투수가 포수를 향해 공을 <u>세게</u> 던졌다. ⇨ ☐

3 오빠가 방문을 <u>세게</u> 닫는 소리에 깜짝 놀랐다. ⇨ ☐

4 할머니의 머리카락이 어느새 온통 <u>세어</u> 버렸다. ⇨ ☐

5 밤하늘에 <u>셀</u> 수 없을 만큼 많은 별이 떠 있었다. ⇨ ☐

6 그는 팔심이 <u>세서</u> 팔씨름 대회에서 우승을 많이 했다. ⇨ ☐

7 숨바꼭질을 할 때는 술래가 열을 <u>셀</u> 때까지 숨어야 한다. ⇨ ☐

6 형태는 같은데 뜻이 다른 말 2 어리다

✏️ 밑줄 친 낱말에 알맞은 뜻을 찾아 연결하세요.

1 그때 생각을 하니 눈에 눈물이 <u>어렸다</u>.

나이가 적다.

2 나는 <u>어린</u> 시절, 시골에서 할머니와 함께 살았다.

눈에 눈물이 조금 고이다.

3 날씨가 좋아 햇볕에 빨래를 <u>말린다</u>.

물기가 다 날아가서 없어지게 하다.

4 우리 반 반장은 친구들의 싸움을 잘 <u>말린다</u>.

다른 사람이 하고자 하는 어떤 행동을 못하게 방해하다.

5 밥이 매우 <u>되게</u> 지어졌다.

새로운 신분이나 지위를 가지다.

6 나는 선생님이 <u>되고</u> 싶다.

반죽이나 밥 따위가 물기가 적어 **빡빡하다**.

7 엄마는 그릇을 물로 <u>부셨다</u>.

그릇 따위를 씻어 깨끗하게 하다.

8 햇빛에 눈이 <u>부셔</u> 눈을 제대로 뜨기 어렵다.

빛이 밝거나 강하여 마주 보기가 어렵다.

15

7 뜻이 반대인 말 완성/미완성

✎ 밑줄 친 낱말과 뜻이 반대인 낱말을 [보기]에서 찾아 써 보세요.

보기

거짓　　불행　　출발　　무관심　　미완성　　부정적

1 열차의 도착 시간은 오후 7시이다.
목적한 곳에 다다름.
⇨ ☐

2 우리 언니는 어릴 적부터 그림에 관심이 많다.
어떤 것에 마음이 끌려 주의를 기울임.
또는 그런 마음이나 주의
⇨ ☐

3 그 작품은 한 달 여 만에 마침내 완성이 되었다.
완전히 다 이룸.
⇨ ☐

4 나는 엄마에게 그 물음에 대해 긍정적 답변을 들었다.
그러하거나 옳다고 인정하는. 또는 그런 것
⇨ ☐

5 나는 부모님께 무엇이든지 항상 진실만을 말할 것이다.
거짓이 없는 사실
⇨ ☐

6 잠시 길을 잃었지만 약속에 많이 늦지 않아서 다행이다.
뜻밖에 일이 잘되어 운이 좋음.
⇨ ☐

16

8 움직임을 나타내는 말 발휘하다

✏️ 밑줄 친 낱말의 알맞은 뜻을 찾아 번호를 써 보세요.

1 그는 어떤 말을 해야 할지 몰라 <u>망설였다</u>. ( )

① 여럿 가운데서 필요한 것을 골라 뽑았다.
② 이리저리 생각만 하고 태도를 결정하지 못했다.

2 정인이는 남의 눈을 심하게 <u>의식하는</u> 경향이 있다. ( )

① 무엇에 특별히 신경을 쓰는
② 중요하게 생각하지 않는

3 로봇 기술의 발전으로 우리의 삶이 <u>변화하고</u> 있다. ( )

① 어떤 상태를 오래 계속하고
② 무엇의 모양이나 상태, 성질 등이 달라지고

4 우리는 상대의 실력을 <u>과소평가하는</u> 실수를 저질렀다. ( )

① 확실히 그렇다고 여기는
② 사실보다 작거나 약하게 평가하는

5 해가 저물자 사람들이 집으로 향하는 걸음을 <u>재촉했다</u>. ( )

① 어떤 일을 빨리하도록 졸랐다.
② 몹시 소란스럽고 어지러운 일을 가라앉혔다.

6 그녀는 많은 사람들 앞에서 떨지 않고 자신의 실력을 <u>발휘했다</u>. ( )

① 재능이나 실력 등을 잘 나타냈다.
② 어떤 사실이나 감정 따위를 남이 모르게 했다.

9 뜻이 여러 가지인 말 꾸미다

'다의어'는 하나의 낱말이 여러 가지의 뜻을 가진 말이에요. '다의어'의 뜻을 제대로 알기 위해서는 그 낱말이 쓰인 앞뒤 내용을 잘 살피면서 읽어야 해요.

✏️ 빈칸에 알맞은 낱말의 기본형을 써 보세요.

①

감기가 친구에게 [　　　].
병 따위가 다른 이에게 전염되다.

그는 1팀에서 2팀으로 [　　　] 앉았다.
어떤 곳에서 다른 곳으로 움직여 자리를 바꾸다.

⇒ | ㅇ | | 다 |

②

강추위에 코끝이 [　　　].
몸의 한 부분이 추위를 느낄 정도로 차다.

햇빛을 보니 눈이 [　　　].
빛이 강하여 바로 보기 어렵다.

⇒ | ㅅ | ㄹ | 다 |

③

머리를 예쁘게 [　　　].
모양이 나게 매만져 차리거나 손질하다.

거짓말을 그럴 듯하게 [　　　].
거짓이나 없는 것을 사실인 것처럼 지어내다.

⇒ | ㄲ | ㅁ | 다 |

④

목에 생선 가시가 [　　　].
막히거나 잡히다.

그림을 그리는 데 시간이 많이 [　　　].
시간이 들다.

⇒ | ㄱ | ㄹ | 다 |

10 띄어쓰기 보다

'보다'가 '어떤 수준에 비하여 한층 더'의 의미로 다른 말을 꾸며 줄 때에는 뒤에 오는 말과 띄어 써야 해요. 그러나 서로 차이가 있는 것을 비교하는 경우, 비교의 대상이 되는 말에 붙여 '~에 비해서'의 의미를 나타낼 때에는 앞말과 붙여 써야 해요.

보다 ✓ 높게 뛰다.
어떤 수준에 비하여 한층 더

결과보다 과정이 중요하다.
~에 비하여

✏️ 다음 문장을 주어진 횟수에 따라 바르게 띄어 써 보세요.

① 형은나보다세살위이다. (4회)

형	은																

② 나는보다좋은사람이될것이다. (5회)

나	는																

③ 나는누구보다도걸음이빠르다. (3회)

나	는																

④ 이 컴퓨터는성능이보다뛰어나다. (4회)

이																	

⑤ 민지는나보다그림을잘그린다. (4회)

민	지	는															

⑥ 나는산보다바다가더좋다. (4회)

나	는																

✏️ **빈칸에 알맞은 낱말을 써서 문장을 완성해 보세요.**

1 한 나라의 [ㅈ][ㄱㅝ] 은 마땅히 국민에게 있어야 한다.
국가의 의사나 정책을 최종적으로 결정하는 권력

2 지도상에서는 위치를 위도와 [ㄱㅕ][ㄷ] 로 표시하고 있다.
지구 위의 위치를 세로로 나타낸 것

3 우리나라는 삼면이 바다로 둘러싸인 [ㅂㅏ][ㄷ] 국가이다.
삼면이 바다로 둘러싸이고 한 면은 육지에 이어진 땅

4 해군은 우리 [ㅇㅕ][ㅎ] 를 함부로 침범한 잠수함을 발견했다.
한 나라의 통치권이 미치는 바다의 영역

5 그 나라는 전쟁에서 이웃 나라를 이기고 [ㅇㅕ][ㅌ] 를 넓혔다.
한 국가의 땅

6 남해는 크고 작은 섬들이 아주 많아 [ㄷㅏ][ㄷ][ㅎ] 라 불린다.
섬이 많이 있는 바다

7 우리나라는 [ㄷ][ㄹㅠ] 과 해양을 잇는 지역적인 특수성이 있다.
넓은 면적을 가지고 바다의 영향이 직접적으로 미치지 않는 육지

✏️ **밑줄 친 낱말의 뜻풀이가 적절하도록 알맞은 낱말을 찾아 ○표 하세요.**

1 천둥과 번개를 <u>동반</u>한 비가 밤새도록 내렸다.

⇨ 어떤 사물이나 현상이 (따로 / 함께) 생김.

2 <u>해안</u>에 부딪치는 파도 소리를 들으니 마음이 편안해진다.

⇨ 바다와 육지가 (떨어진 / 맞닿은) 부분

3 가을이 되면 넓은 <u>평야</u>에는 잘 익은 곡식이 물결을 친다.

⇨ 평평하고 (넓은 / 좁은) 들

4 폭설로 길이 끊기는 바람에 그 마을은 완전히 <u>고립</u> 상태가 되었다.

⇨ 다른 사람과 어울리지 못하고 (따로 / 갑자기) 떨어짐.

5 큰 지진이 일어난 이후로 한동안 <u>여진</u>이 계속되어 사람들이 불안에 떨었다.

⇨ 큰 지진이 일어난 다음에 잇따라 일어나는 (더 큰 / 작은) 지진

6 <u>적도</u>를 중심으로 한 북쪽과 남쪽은 서로 계절이 다르다.

⇨ 남북 양극으로부터 (같은 / 다른) 거리에 있는 지구 표면에서의 점을 이은 선

7 이곳에서는 흙모래와 바윗돌로 바다를 막는 <u>간척</u> 사업이 진행 중이다.

⇨ 바다나 호수의 물을 (빼내고 / 채우고) 흙으로 메워 땅으로 만드는 일

어휘력을 높이는 확인 학습

다음 빈칸에 낱말을 넣어 문장을 완성하세요.

되다	반죽이나 밥 따위가 물기가 적어 빡빡하다. 예 물을 조금 넣어서 그런지 반죽이 ☐☐.
세다	머리카락이나 수염 따위의 털이 희어지다. 예 연세가 많은 할아버지의 수염이 하얗게 ☐☐.
고립	다른 사람과 어울리지 못하고 따로 떨어짐. 예 지난 밤 폭설이 내리면서 마을이 ☐☐ 되었다.
고민거리	속을 태우며 괴로워하게 하는 일 예 우리는 ☐☐☐☐가 생기면 터놓고 얘기한다.
조언	도움이 되는 말이나 몰랐던 것을 깨우쳐 주는 말 예 고민이 생기면 웃어른께 ☐☐을 구하는 것이 좋다.
역정	마음에 맞지 아니하여 내는 화 예 밤늦게 들어오는 나를 본 아버지가 ☐☐을 내셨다.
영해	한 나라의 통치권이 미치는 바다의 영역 예 중국 어선이 우리의 ☐☐를 침범하는 것은 불법이다.
미완성	완전히 다 이루지 못함. 예 그가 세상을 떠나면서 그 작품은 ☐☐☐으로 남 았다.

배려
도와주거나 보살펴 주려고 마음을 씀.
예 진정한 강자는 약자를 [ ][ ]할 줄 안다.

주권
국가의 의사나 정책을 최종적으로 결정하는 권력
예 조선은 일본에게 빼앗긴 [ ][ ]을 되찾았다.

복스럽다
복이 있어 보이는 데가 있다.
예 옆집 아기의 얼굴은 달덩이같이 [ ][ ][ ][ ].

대륙
넓은 면적을 가지고 바다의 영향이 직접적으로 미치지 않는 육지
예 유라시아 [ ][ ]은 끝이 보이지 않을 만큼 넓다.

소질
타고난 능력이나 성질
예 노래를 잘 하는 그 사람은 음악에 [ ][ ]이 있다.

부시다
빛이 밝거나 강하여 마주 보기가 어렵다.
예 산에 핀 봄꽃들이 너무 화려해서 눈이 [ ][ ][ ].

웃음거리
비웃음을 살 만한 일
예 수업 시간에 졸다가 친구들의 [ ][ ][ ][ ]가 되었다.

간척
바다나 호수의 물을 빼내고 흙으로 메워 땅으로 만드는 일
예 해안선이 복잡한 나라들은 [ ][ ]을 통해 토지를 넓힌다.

국어 교과서 60~91쪽

1 주제별 어휘 장소

'장소'는 '어떤 일이 이루어지거나 일어나는 곳'을 의미하는 말이에요. '장소'의 개념을 잘 익혀 두면 문학 작품의 공간적 배경을 이해하는 데 도움이 돼요.

✏️ 빈칸에 알맞은 낱말을 [보기]에서 찾아 써 보세요.

보기

| 감옥 | 고향 | 마을 | 장터 | 학당 | 기숙사 |

1 유관순은 이화 ⬚ 에 입학하여 공부를 했다.
예전에, 학교를 이르던 말

2 주말 ⬚ 에는 많은 사람들로 시끌벅적하다.
장이 서는 터

3 그는 죄를 저지르고 3년 만에 ⬚ 에서 나왔다.
죄인을 가두는 곳

4 할머니가 사시는 ⬚ 에는 10여 채의 집이 있다.
주로 시골에서, 여러 집이 모여 사는 곳

5 대학생이 된 언니는 학교 ⬚ 에서 생활하고 있다.
학교나 회사 따위에 딸려 있어 학생이나 직원들이 사는 집

6 명절이 되면 기차역은 ⬚ 을 찾는 많은 사람들로 북적인다.
자기가 태어나서 자란 곳

2 잘못 쓰기 쉬운 말 몽둥이

🖉 밑줄 친 낱말을 알맞게 고쳐 써 보세요.

4일

월

일

❶ 온 겨래가 한마음으로 나라를 지켰다.
　　같은 핏줄을 이어받은 민족

⇨ ▢

❷ 친구와 싸워서 선생님께 꾸중을 들었다.
　　　　　　　　아랫사람의 잘못을 꾸짖는 말

⇨ ▢

❸ 동생의 홰방으로 숙제를 다 하지 못 했다.
　　　　남의 일을 방해함.

⇨ ▢

❹ 날아오는 야구공을 야구 방망이로 힘껏 쳤다.
　　　　　　　　　　　있는 힘을 다하여

⇨ ▢

❺ 나는 저녁마다 가족과 함께 텔레비전을 본다.
　　해가 질 무렵부터 밤이 되기까지의 사이

⇨ ▢

❻ 내 짝꿍은 산수는 못해도 속쎔은 정말 잘한다.
　　　　　　　　다른 도구를 쓰지 않고 머릿속으로 하는 계산

⇨ ▢

❼ 헌병들은 사람들을 향해 뭉둥이를 마구 휘둘렀다.
　　　　　　조금 굵고 긴 막대기

⇨ ▢

3 올바른 발음 독립[동닙]

앞말이나 뒷말의 영향을 받아 원래의 소리가 다른 소리로 바뀌는 경우가 있어요. '독립'은 'ㄱ'과 'ㄹ'이 서로 영향을 주고받아 [동닙]으로 발음이 돼요.

독립[동닙]

✏️ 밑줄 친 낱말의 알맞은 발음을 찾아 ○표 하세요.

1 정류장에서 버스가 오기를 기다린다. ⇨ [정뉴장]　　[정유장]

2 잠자리는 수많은 겹눈을 가지고 있다. ⇨ [겹눈]　　[겸눈]
작은 눈들이 벌집 모양으로
한데 모여서 이루는 눈

3 적의 침략에 대비를 철저히 해야 한다. ⇨ [침·냑]　　[칩·략]
남의 나라에 쳐들어가 영토를 빼앗는 것

4 아주 먼 옛날에는 지구에 공룡이 살았다. ⇨ [옛·날]　　[옌·날]

5 앞문이 고장이 났으니 뒷문을 이용해 주세요. ⇨ [암문]　　[압문]

6 그는 자꾸 곁눈질로 힐끔 나를 쳐다보았다. ⇨ [견눈질]　　[결눈질]
눈알을 옆으로 돌려서 보는 것

7 전국 방방곡곡에서 모두가 한마음으로 독립을 외쳤다. ⇨ [독닙]　　[동닙]

4 뜻을 더하는 말 1 신-

'신(新)-'은 '새로운'의 뜻을 더하는 말이에요.

✎ 빈칸에 알맞은 낱말을 써서 문장을 완성해 보세요.

1 그들은 일찍부터 | 신 | ㅎ | ㅁ | 을 배웠다.
　　　　　　　　　서양에서 들어온 새 학문

2 | 신 | ㅈ | ㅍ | 은 기존 제품보다 성능이 훨씬 좋다.
　　새로 만든 물건

3 우리 민족은 개화기 때 | 신 | ㅁ | ㅁ | 을 받아들였다.
　　　　　　　　　　　　　외국에서 들어오는 새로운 지식과 물건

4 | 신 | ㅅ | ㅅ | 이 들어오면서 예술의 흐름도 바뀌었다.
　새로운 사상

5 이 노래는 | 신 | ㅅ | ㄷ | 사이에서 유행하는 노래이다.
　　　　　　새로운 세대

6 그 선수는 이번 수영 대회에서 | 신 | ㄱ | ㄹ | 을 세웠다.
　　　　　　　　　　　　　　　기존의 기록보다 뛰어난 새로운 기록

7 시골에서 나고 자란 그에게 도시는 | 신 | ㅅ | ㄱ | 와 같았다.
　　　　　　　　　　　　　새롭게 생활하거나 활동하는 장소

27

5 뜻을 더하는 말 2 뒤-

밑줄 친 낱말에 붙은 '뒤-'의 알맞은 뜻을 찾아 기호를 써 보세요.

> 뒤- ㉠ '몹시, 마구, 온통'의 뜻을 더하는 말
> ㉡ '반대로' 또는 '뒤집어'의 뜻을 더하는 말

❶ 강한 물살이 나룻배를 뒤엎었다. ⇨ ☐

❷ 민정이는 진영이의 말을 뒤받았다. ⇨ ☐

❸ 밤새 내린 눈이 온 마을을 뒤덮었다. ⇨ ☐

❹ 여러 가지 생각이 뒤엉켜서 머리가 복잡하다. ⇨ ☐

❺ 두 가지 물감을 뒤섞어 새로운 색깔을 만들었다. ⇨ ☐

❻ 바람이 나무를 뒤흔들어 나뭇잎이 우수수 떨어진다. ⇨ ☐

❼ 친구와 싸우지 말고 서로 처지를 뒤바꿔서 생각해 봐. ⇨ ☐

6 뜻을 더하는 말 3 되-

밑줄 친 낱말에 붙은 '되-'의 알맞은 뜻을 찾아 기호를 써 보세요.

> 되- ㉠ '도로', '이전 상태로'의 뜻을 더함.
> ㉡ '도리어' 또는 '반대로'의 뜻을 더함.
> ㉢ '다시', '되풀이해서'의 뜻을 더함.

1 잃어버린 우산을 <u>되찾았다</u>. ⇨ [ ]

2 그는 자신의 인생을 <u>되돌아보았다</u>. ⇨ [ ]

3 우리는 선생님께서 하신 말씀을 <u>되씹었다</u>. ⇨ [ ]

4 연지는 두고 온 물건이 있어서 집으로 <u>되돌아갔다</u>. ⇨ [ ]

5 형사가 목격자인 그를 <u>되넘겨짚어</u> 범인으로 여기는 것 같다. ⇨ [ ]

6 역사적 교훈을 <u>되새기며</u> 다시는 그런 일이 없도록 해야 한다. ⇨ [ ]

7 그는 상대편을 먼저 넘어뜨렸지만 어느새 상대편에게 <u>되깔렸다</u>. ⇨ [ ]

7 자주 쓰는 말 입이 벌어지다

✏️ 카드를 왼쪽에서 하나, 오른쪽에서 하나씩 꺼내 주어진 뜻에 알맞은 말을 써 보세요.

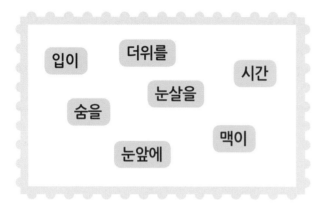

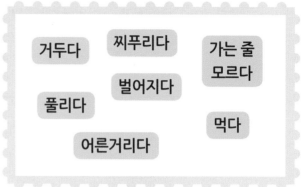

1️⃣ 매우 놀라거나 좋아하다. ⇨ 입이 벌어지다

2️⃣ 기운이나 긴장이 풀어지다. ⇨ _____

3️⃣ '죽다'를 간접적으로 둘러 표현하는 말 ⇨ _____

4️⃣ 어떤 사람이나 일 따위에 관한 기억이 떠오르다. ⇨ _____

5️⃣ 여름철에 더위 때문에 몸에 이상 증세가 생기다. ⇨ _____

6️⃣ 마음에 못마땅한 뜻을 나타내어 양미간을 찡그리다. ⇨ _____

7️⃣ 바쁘게 지내서 시간이 어떻게 지났는지 알지 못하다. ⇨ _____

8 움직임을 나타내는 말 무릎쓰다

✎ 빈칸에 알맞은 낱말을 [보기]에서 찾아 활용하여 써 보세요.

보기

애타다	엿듣다	무릎쓰다	밀려들다
시달리다	추진하다	받아들이다	

1 경수는 그들의 대화를 문틈으로 _____ 있었다.
　　　　　　　　　　　　　남의 말을 몰래 가만히 듣고

2 그는 한 치의 망설임도 없이 계획된 일을 _____ .
　　　　　　　　　　　　　　　　목표를 향하여 밀고 나아갔다.

3 거리에는 축구 경기를 응원하는 사람들이 물결처럼 _____ .
　　　　　　　　　　　　　　　　　　　한꺼번에 여럿이 몰려들었다.

4 서양 문물을 _____ 신학문을 배워 나라의 힘을 길렀다.
　　　　　다른 문화, 문물을 받아서 자기 것으로 되게 하고

5 일본에게 침략을 당한 우리 민족은 모두가 독립을 _____ 바랐다.
　　　　　　　　　　　　　　　　　　　몹시 답답하거나 안타까워 속이 끓는 듯하게

6 유관순은 나라를 구하기 위해 죽음을 _____ 독립 만세를 불렀다.
　　　　　　　　　　　　　　힘들고 어려운 일을 견디고

7 아버지는 우리나라가 일본에게 _____ 것은 나라의 힘이 약하기 때문이라고 하셨다.
　　　　　　　　　　　　괴로움이나 성가심을 당하는

31

9 흉내 내는 말 자근자근

✏️ 그림의 상황에 어울리도록 빈칸에 알맞은 낱말을 써서 문장을 완성해 보세요.

1
⇒ 아이들이 | ㅃ | ㅃ | ㅇ | 집으로 돌아갔다.
제각기 따로따로 흩어지는 모양

2
⇒ 줄꾼이 | ㅇ | ㅅ | ㅇ | ㅅ | 줄을 타고 있다.
소름이 끼칠 정도로 마음이 약간 위태롭거나 조마조마한 모양

3
⇒ 계곡물이 | ㅊ | ㄹ | ㅊ | ㄹ | 흘러내린다.
물 따위가 자꾸 큰 물결을 이루며 흔들리는 모양

4
⇒ 다리가 저려 | 오 | ㅉ | 다 | ㅆ | 못했다.
몸을 아주 조금 움직이는 모양

5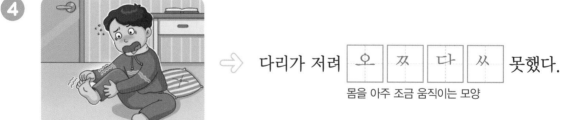
⇒ 할머니의 다리를 | 자 | ㄱ | 자 | ㄱ | 주물러 드렸다.
자꾸 가볍게 누르거나 밟는 모양

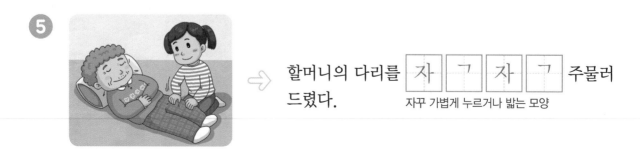

10 띄어쓰기 것이, 게

'것'은 사물, 일 따위를 가리킬 때 쓰는 말로 앞말과 띄어 써요. '게'는 '것'에 주어를 나타내는 '이'가 붙어 줄어든 것이므로 역시 앞말과 띄어 써요.

노는✓것이 제일 좋다.

노는✓게 제일 좋다.

✏️ 다음 문장을 주어진 횟수에 따라 바르게 띄어 써 보세요.

1 영희는웃는게예쁘다. (3회)

영	희														

2 여행을가는게즐겁다. (3회)

여	행														

3 산책을가는것이좋다. (3회)

산	책														

4 춤을추는것이재미있다. (3회)

춤	을														

5 아는게있으면전부말해라. (4회)

아	는														

6 자리를양보하는것이기특하다. (3회)

자	리														

7 이것은내가좋아하는게아니다. (4회)

이	것														

11 타교과 어휘 과학

✏️ 빈칸에 알맞은 낱말을 써서 문장을 완성해 보세요.

1 정확한 실험을 위해서는 `벼` `이` 통제를 잘 해야 한다.
성질이나 모습이 변하는 원인

2 열의 `저` `ㄷ` 에 의해 열이 손실되는 것을 막아야 한다.
열 또는 전기가 물체 속을 이동하는 일

3 태양 전지판을 이용하여 햇빛을 전기로 `벼` `화` 할 수 있다.
달라져서 바뀜. 또는 다르게 하여 바꿈.

4 `다` `여` 이 잘되게 집을 지으면 겨울철 난방비를 줄일 수 있다.
물체와 물체 사이에 열이 서로 통하지 않도록 막음. 또는 그렇게 하는 일

5 우리는 여러 번의 실험을 통해 확실한 결론을 `ㄷ` `추` 해 내었다.
판단이나 결론 따위를 이끌어 냄.

6 날이 무척 더워 온도계를 보니 `서` `씨` 35도를 가리키고 있었다.
물이 어는 온도를 0도로, 끓는 온도를 100도로 하고 그 사이를 100등분 하여 온도를 재는 단위

7 목욕물의 `ㅅ` `ㅇ` 은 너무 뜨겁지도 미지근하지도 않고 아주 적당했다.
물의 온도

8 오래된 신문지가 누렇게 [벼][새] 되었다.

빛깔이 변하여 달라짐. 또는 빛깔을 바꿈.

9 가정에서는 그릇을 끓는 물로 [ㄱ][여] 하여 소독한다.

어떤 물질에 열을 가함.

10 화재는 전기난로가 [고][여] 되어 발생한 것으로 밝혀졌다.

지나치게 뜨거워짐. 또는 그런 열

11 난로를 피우면 공기의 [ㄷ][류] 현상으로 실내가 따뜻해진다.

기체나 액체에서, 물질이 이동함으로써 열이 전달되는 현상

12 가스 [점][ㅎ][ㄱ] 를 이용하여 가스레인지에 불을 붙였다.

불을 붙이기 위하여 전기 불꽃을 내는 기구

13 육류는 공기와 [저][초] 하지 않도록 포장하여 보관하는 것이 좋다.

서로 맞닿음.

14 뜨거운 물을 사용하여 실험을 할 때에는 [ㅎ][상] 을 입지 않도록 주의해야 한다.

불이나 뜨거운 것 따위에 데어서 피부에 생긴 상처

어휘력을 높이는 확인 학습

다음 빈칸에 글자를 넣어 낱말을 완성하세요.

¹ 훼 ☐ | 남의 일을 방해함.

² ☐ 당 | 예전에, 학교를 이르던 말

³ 무 ☐ 쓰다 | 힘들고 어려운 일을 견디다.

⁴ ☐ 눈질 | 눈알을 옆으로 돌려서 보는 것

⁵ 뿔뿔 ☐ | 제각기 따로따로 흩어지는 모양

⁶ 자 ☐ 자 ☐ | 자꾸 가볍게 누르거나 밟는 모양

⁷ ☐ 문물 | 외국에서 들어오는 새로운 지식과 물건

⁸ 기 ☐ 사 | 학교나 회사 따위에 딸려 있어 학생이나 직원들이 사는 집

⁹ 대 ☐ | 기체나 액체에서, 물질이 이동함으로써 열이 전달되는 현상

¹⁰ ☐ 열 | 물체와 물체 사이에 열이 통하지 않도록 막음. 또는 그렇게 하는 일

정답   1. 방   2. 학   3. 릅   4. 곁   5. 이   6. 근, 근   7. 신   8. 숙   9. 류   10. 단

36

11 **겨**☐☐ — 같은 핏줄을 이어받은 민족

12 ☐☐ **달리다** — 괴로움이나 성가심을 당하다.

13 **변**☐☐ — 성질이나 모습이 변하는 원인

14 ☐☐ **출** — 판단이나 결론 따위를 이끌어 냄.

15 **신**☐☐ **계** — 새롭게 생활하거나 활동하는 장소

16 ☐☐ **도** — 열 또는 전기가 물체 속을 이동하는 일

17 **변**☐☐ — 빛깔이 변하여 달라짐. 또는 빛깔을 바꿈.

18 ☐☐ **새기다** — 지난 일을 다시 떠올려 골똘히 생각하다.

19 ☐☐ **타다** — 몹시 답답하거나 안타까워 속이 끓는 듯하다.

20 **속**☐☐ — 다른 도구를 쓰지 않고 머릿속으로 하는 계산

정답 11. 레   12. 시   13. 인   14. 도   15. 세   16. 전   17. 색   18. 되   19. 애   20. 셈

3 장 글을 요약해요

1 설명 방법

> 설명하는 글을 쓸 때에는 대상에 따라 알맞은 설명 방법을 사용해야 글을 읽는 사람이 글의 내용을 보다 쉽게 이해할 수 있어요.

✏ 글의 설명 방법에 대한 알맞은 내용을 찾아 연결하세요.

1 비교 •   • 설명하려는 대상의 특징을 나열하여 설명하는 것

2 대조 •   • 두 가지 이상의 대상에서 공통점을 찾아 설명하는 것

3 열거 •   • 두 가지 이상의 대상에서 차이점을 찾아 설명하는 것

✏ 다음 글에 사용된 설명 방법이 무엇인지 써 보세요.

1 세계에는 많은 탑이 있다. 이탈리아에는 피사의 사탑이 있고 프랑스에는 에펠 탑이 있고 중국에는 동방명주 탑이 있다.

2 다보탑은 장식이 많고 화려한 반면, 석가탑은 단순하면서도 세련된 멋이 있다.

3 다보탑과 석가탑은 모두 통일 신라 시대에 만들어진 탑이다. 그리고 두 탑은 모두 국보로 지정되었다.

2 요약 방법

글을 요약하면 중요한 내용을 쉽게 알 수 있고, 더 쉽게 기억할 수 있어요. 글을 요약할 때에는 글의 구조를 생각하며 요약을 해야 해요.

🖉 다음은 글의 요약 방법을 나타낸 것입니다. 빈칸에 알맞은 말을 [보기]에서 찾아 써 보세요.

> **보기**
>
> 중심 문장 찾기   중요하지 않은 내용 지우기
> 새로운 중심 문장 만들기   대표할 수 있는 말로 바꾸기

1 ------------------------------

어젯밤에 텔레비전을 보다가 늦게 자서 아침에 늦잠을 잤다. 늦게 일어나서 허둥지둥 준비하고 학교에 갔지만 지각을 했다.

⇨ 늦잠을 자서 지각을 했다.

2 ------------------------------

개미들은 협동을 매우 잘한다. 집으로 먹이를 나를 때 힘을 모은다. 집을 지을 때에도 모두 함께 힘을 합친다.

⇨ 개미들은 협동을 매우 잘한다.

3 ------------------------------

나는 딸기, 포도, 복숭아, 오렌지를 좋아한다.

⇨ 나는 과일을 좋아한다.

4 ------------------------------

나무는 우리에게 그늘을 주고 깨끗한 공기를 준다. 또 종이와 목재를 제공한다.

⇨ 나무는 우리에게 많은 도움을 준다.

3 주제별 어휘 1 전투

'전투'란 두 편의 군대가 무기를 갖추고 서로 싸우는 것을 말해요. 한국 전쟁 중에도 한강 전투, 대관령 전투 등 수많은 전투가 있었어요.

✏️ 빈칸에 알맞은 낱말을 [보기]에서 찾아 써 보세요.

보기
군복　　　군인　　　무기　　　아군　　　적군　　　전술　　　전투

1 이번 [　　　]에서는 많은 사람이 다쳤다.
　　　두 편의 군대가 무기를 갖추고 서로 싸움.

2 이 [　　　]는 전에는 보지 못한 새로운 것이다.
　　　싸움을 할 때 적을 다치게 하거나 죽이기 위해 쓰는 도구

3 우리는 [　　　]의 공격에 철저히 대비해야 한다.
　　　적의 군대나 군사

4 나는 나라를 지키는 [　　　] 아저씨께 위문편지를 썼다.
　　　군대에 속하여 훈련을 받고 일정한 임무를 맡아 하는 사람

5 군대에 간 큰오빠는 휴가를 나올 때 [　　　]을 입고 왔다.
　　　군대에서 군인들이 입는 옷

6 [　　　]끼리 무전기로 현재 상황에 대해 연락을 주고받았다.
　　　우리 편 군대

7 우리 부대는 다음 주부터 새로운 [　　　] 훈련을 할 계획입니다.
　　　전쟁이나 전투 상황에 대처하기 위한 기술과 방법

4 주제별 어휘 2 병원

'병원'은 '시설을 갖추고 병든 사람을 치료해 주는 곳'을 말해요. 환자는 병원에 가서 의사 선생님에게 진료와 처방을 받아요.

✏️ 빈칸에 알맞은 낱말을 [보기]에서 찾아 써 보세요.

보기

| 감염 | 방역 | 소독 | 위생 | 처방 | 초진 | 환자 |

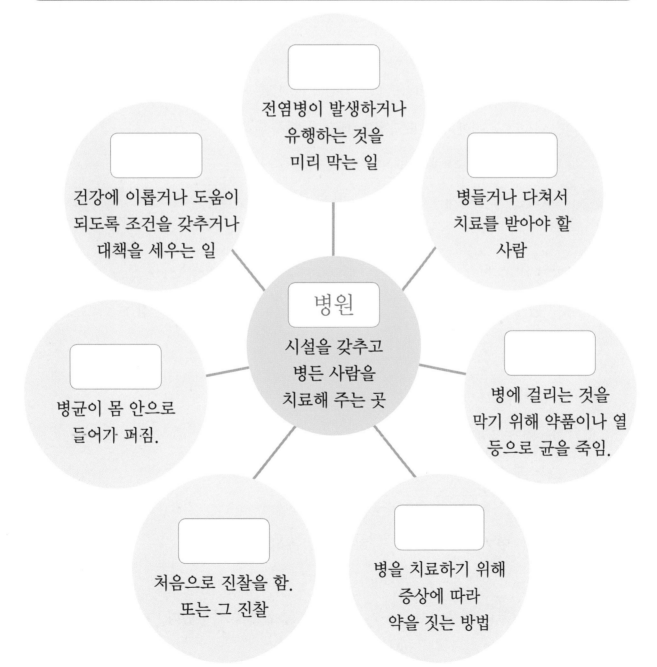

5 주제별 어휘 3 재판

빈칸에 알맞은 낱말을 주어진 글자 카드로 만들어 써 보세요.

| 관 | 등 | 법 | 재 | 판 | 평 |

1 그 범인은 오늘 ☐☐을 받는다.
법원에서 어떤 사건에 대하여 법에 따라 판단하는 일

2 ☐☐에게는 도덕적인 태도가 요구된다.
법원에서 각종 사건, 소송을 법에 따라 해결, 조정하는 권한을 가진 사람

3 기회는 모두에게 ☐☐하게 주어져야 한다.
권리, 의무 자격 따위가 차별 없이 고르고 똑같음.

| 공 | 결 | 법 | 사 | 원 | 정 | 판 |

4 ☐☐가 의사봉을 땅땅 두들겼다.
법원에서 재판을 맡아 하는 공무원

5 그는 무죄 ☐☐을 받고 누명을 벗었다.
옳고 그름이나 좋고 나쁨을 판단하여 결정함.

6 심판은 경기를 ☐☐하게 심판해야 한다.
어느 쪽으로도 치우치지 않고 올바름.

7 그는 너무나 억울하여 ☐☐에 고소장을 접수했다.
재판하는 일을 하는 국가 기관

42

6 뜻을 더하는 말 -개

'-개'는 '그러한 행위를 하는 간단한 도구' 또는 '그러한 행위를 특성으로 지닌 사람'이라는 뜻을 더해 주어요.

8일

월

일

🖉 주어진 뜻에 알맞은 낱말을 써 보세요.

1 덮는 물건 ⇨ ㄷ 개

2 병이나 깡통 따위의 뚜껑을 따는 물건 ⇨ ㄸ 개

3 글씨나 그림 따위를 지우는 물건 ⇨ ㅈ ㅇ 개

4 어떤 공간이나 몸의 부분을 가리기 위한 물건 ⇨ ㄱ ㄹ 개

5 늘 콧물을 흘리는 아이 ⇨ ㅋ ㅎ ㄹ 개

6 오줌을 가리지 못하는 아이 ⇨ ㅇ ㅈ ㅆ 개

7 화초 따위에 물을 주거나 뿌리는 데에 쓰는 기구 ⇨ ㅁ ㅃ ㄹ 개

43

7 자주 쓰는 말 눈길을 끌다

✏️ 빈칸에 알맞은 말을 [보기]에서 찾아 활용하여 써 보세요.

> **보기**
>
> 눈에 띄다   눈이 많다   눈에 밟히다   눈을 붙이다
> 눈길을 끌다   눈길을 주다   눈길을 거두다

1 한국 경제가 _____ 성장하였다.
　　　　　　　　　두드러지도록 드러나게

2 쌓인 피로를 풀기 위해 잠시 _____.
　　　　　　　　　　　　　　　잠을 잤다.

3 한참 동안 창밖을 바라보다가 _____.
　　　　　　　　　　　　　　　　보고 있던 것에서 다른 것으로 눈을 돌렸다.

4 선생님이 떠드는 아이들 쪽으로 _____.
　　　　　　　　　　　　　　　　시선을 그쪽으로 돌렸다.

5 외국으로 유학을 가려니 가족들이 자꾸 _____.
　　　　　　　　　　　　　　　　잊히지 않고 자꾸 눈앞에 떠올랐다.

6 그의 작품은 기발한 아이디어로 사람들의 _____.
　　　　　　　　　　　　　　　　관심을 끌었다.

7 이렇게 _____ 곳에서 공연을 하려니 더욱 긴장이 된다.
　　　　보는 사람이 많은

8 뜻이 반대인 말 송신/수신

밑줄 친 낱말과 뜻이 반대인 낱말을 [보기]에서 찾아 빈칸에 써 보세요.

보기

| 균형 | 둔감 | 서양 | 손실 | 수신 | 적응 | 청결 |

1 불균형한 식습관을 [   ] 있는 식습관으로 바꾸도록 노력하자.

2 쓰레기통의 주변은 불결하기 쉬우므로 [   ] 하게 관리해야 한다.
어떤 사물이나 장소가
깨끗하지 아니하고 더러움.

3 그는 처음에는 학교생활에 부적응했지만 금방 [   ] 하게 되었다.

4 민주는 유행에 매우 민감하지만 수정이는 유행에 [   ] 한 편이다.
자극에 빠르게 반응하거나
쉽게 영향을 받음.

5 방송국에서 프로그램을 송신하면 가정에서는 프로그램을 [   ] 한다.
전기적 수단을 통해 신호를 보냄.

6 우리 회사는 작년에는 많은 이득을 보았지만 올해에는 [   ] 을 입었다.

7 동양에서는 집단을 중시하고 [   ] 에서는 개인을 중시하는 경향이 있다.

9 헷갈리기 쉬운 말 업다/엎다

🖉 주어진 뜻을 참고하여 문장에 어울리는 낱말을 찾아 ○표 하세요.

업다	사람이나 동물 따위를 등에 대고 손으로 붙잡거나 붙어 있게 하다.
엎다	실수로 넘어뜨려 속에 든 것이 쏟아지게 하다.

1 엄마가 울고 있는 동생을 등에 (업었다 / 엎었다).

2 밥을 먹다가 국그릇을 (업어서 / 엎어서) 옷이 젖었다.

3 주전자를 (업는 / 엎는) 바람에 바닥이 물바다가 되었다.

꾀다	그럴듯한 말이나 행동으로 남을 부추겨 자기 생각대로 끌다.
꿰다	실이나 끈 따위를 구멍이나 틈의 한쪽에 넣어 다른 쪽으로 나가게 하다.

4 그는 연탄 한 장을 새끼에 (꿰 / 꾀) 가지고 왔다.

5 그녀는 돈 많은 김 씨를 (꾀어 / 꿰어) 결혼하였다.

6 엄마는 바느질을 하기 위해 실을 바늘에 (꿰고 / 꾀고) 계셨다.

7 영수는 동생을 (꾀어 / 꿰어) 학용품을 살 돈으로 과자를 사 먹었다.

10 기본형

동작을 나타내는 말이나 성질이나 상태를 나타내는 말은 문장에서 다양한 형태로 활용을 해요. 다양한 활용형 중에서 가장 기본이 되는 형태를 '기본형'이라고 해요.

기본형	활용형
밥을 <u>먹</u>다.	밥을 <u>먹</u>고 텔레비전을 본다. 밥을 <u>먹</u>으니 배가 부르다. 밥을 <u>먹</u>지 않고 빵을 먹었다.

✏️ **밑줄 친 낱말의 기본형을 빈칸에 써 보세요.**

❶ 이 내용을 자세히 <u>다뤄</u> 보자. ⇨ [　　　]

❷ 자신이 <u>아는</u> 내용을 모두 말해 보자. ⇨ [　　　]

❸ 옷이 너무 <u>더러워서</u> 세탁을 해야겠다. ⇨ [　　　]

❹ 오른손의 손가락 끝이 왼발에 <u>닿도록</u> 해라. ⇨ [　　　]

❺ 이 탑은 우리 조상들의 <u>뛰어난</u> 솜씨를 보여 준다. ⇨ [　　　]

❻ 쓴 글을 다시 읽고 <u>고칠</u> 부분이 없는지 확인해 보자. ⇨ [　　　]

❼ 이 글은 일정한 기준에 따라 같은 것끼리 <u>묶어서</u> 설명하고 있다. ⇨ [　　　]

✏️ **빈칸에 알맞은 낱말을 써서 문장을 완성해 보세요.**

1 김 선생님은 실력과 [이][겨]을 골고루 갖추신 분이다.

　　　　　　　　　　사람으로서의 품격

2 민혁이는 순간의 [ㅇ][이]을 포기하고 양심을 선택했다.

　　　　　　　　물질적으로나 정신적으로 보탬이 되는 것

3 나는 동생과 싸우고 나서 부모님께 혼날 것을 [여][ㄹ]하였다.

　　　　　　　　　　　　　앞일에 대하여 여러 가지로 마음을 써서 걱정함.
　　　　　　　　　　　　　또는 그런 걱정

4 그는 가장으로서의 [ㅊ][ㅁ][가] 때문에 마음이 무거웠다.

　　　　　　　맡아서 해야 할 일이나 의무를 중요하게 여기는 마음

5 어려운 시대일수록 뛰어난 지도자가 [ㅂ][ㅊ]되기를 바라게 된다.

　　　　　　　　　　훌륭한 인재가 계속하여 나옴.

6 갑자기 유학을 가겠다는 언니의 [서][ㅇ]에 가족들은 할말을 잃었다.

　　　　　　　　널리 펴서 말함. 또는 그런 내용

7 대통령은 경제 개발 계획을 세워서 사회 발전의 [ㅌ][대]를 마련하였다.

　　　　　　　　　　　　　　어떤 일이나 사물의 바탕이 되는 기초를
　　　　　　　　　　　　　　비유적으로 이르는 말

✏️ **밑줄 친 낱말의 뜻풀이가 적절하도록 알맞은 낱말을 찾아 ○표 하세요.**

1 경수가 내 말을 믿어 주지 않은 것이 내심 섭섭하였다.

⇨ 겉으로 드러나지 아니한 (거짓의 / 실제의) 마음

2 전쟁이 터지자 수많은 사람들이 남쪽으로 피란을 갔다.

⇨ 난리를 (피하여 / 쫓아) 옮겨 감.

3 우리의 귀중한 문화재가 외부 세력에 의해 약탈되었다.

⇨ 폭력을 써서 남의 것을 (억지로 / 조금만) 빼앗음.

4 사람들은 그의 연설을 듣고 큰 감동을 받았다.

⇨ 여러 사람 앞에서 자신의 생각이나 주장을 (발표함 / 자랑함).

5 남에게 돈을 빌려줄 때에는 차용증을 작성해 놓는 것이 좋다.

⇨ 돈이나 물건을 빌린 것을 증명하는 (그림 / 문서)

6 그는 사업이 날로 번창하여 많은 돈을 벌었다.

⇨ 어떤 조직이나 활동 등이 한창 잘되어 크게 (기움 / 일어남).

7 나에게 이틀간만 말미를 주면 그것에 대해 생각해 볼게.

⇨ 어떤 일에 매인 사람이 다른 일을 하기 위해 얻는 (시간적 / 정신적) 여유

다음 빈칸에 낱말을 넣어 문장을 완성하세요.

꾀다

그럴듯한 말이나 행동으로 남을 부추겨 자기 생각대로 끌다.

예 집에 가려는 친구를 [ ]어 게임방에 갔다.

차용증

돈이나 물건을 빌린 것을 증명하는 문서

예 친구에게 돈을 빌리고 [ ][ ][ ]을 써 주었다.

아군

우리 편 군대

예 오늘의 [ ][ ]이 내일의 적군이 될 수도 있다.

덮개

덮는 물건

예 음식이 남으면 [ ][ ]를 덮어 냉장고에 보관해라.

송신

전기적 수단을 통해 신호를 보냄.

예 기상청은 매일 날씨 정보를 각 지역에 [ ][ ]한다.

선언

널리 펴서 말함. 또는 그런 내용

예 두 나라는 앞으로 교류를 [ ][ ]하지 않기로 하였다.

판결

옳고 그름이나 좋고 나쁨을 판단하여 결정함.

예 판사는 감정에 휘둘리지 말고 바르게 [ ][ ]해야 한다.

방역

전염병이 발생하거나 유행하는 것을 미리 막는 일

예 이웃 나라에 전염병이 돌자, 정부는 [ ][ ]을 실시하였다.

염려
앞일에 대하여 여러 가지로 마음을 써서 걱정함. 또는 그런 걱정
예 쓸 데 없는 ☐☐ 는 건강에 해롭다.

번창
어떤 조직이나 활동 등이 한창 잘되어 크게 일어남.
예 옆집 아저씨의 사업은 날로 ☐☐ 하였다.

내심
겉으로 드러나지 아니한 실제의 마음
예 자기만 생각하는 친구에게 ☐☐ 섭섭했다.

전술
전쟁이나 전투 상황에 대처하기 위한 기술과 방법
예 전쟁에서 승리하려면 ☐☐ 을 잘 짜야 한다.

처방
병을 치료하기 위해 증상에 따라 약을 짓는 방법
예 의사는 환자를 진료하고 나면 ☐☐ 을 한다.

말미
어떤 일에 매인 사람이 다른 일을 하기 위해 얻는 시간적 여유
예 닷새의 ☐☐ 를 주면, 빌린 돈을 갚도록 하겠네.

민감
자극에 빠르게 반응하거나 쉽게 영향을 받음.
예 흥분한 사람에게 ☐☐ 하게 반응할 필요가 없다.

오줌싸개
오줌을 가리지 못하는 아이
예 그 꼬마는 동네 아이들에게 ☐☐☐☐ 라고 놀림을 받았다.

4장 글쓰기의 과정

1 글쓰기 과정

글쓰기는 생각이나 사실 따위를 글로 써서 표현하는 일이에요. 일정한 과정에 따라 글을 쓰면 자신이 말하고자 하는 바를 효과적으로 표현할 수 있어요.

✎ 다음은 글쓰기의 과정을 나타낸 것입니다. 빈칸에 알맞은 말을 [보기]에서 찾아 써 보세요.

보기

| 계획하기 | 고쳐 쓰기 | 떠올리기 | 조직하기 | 표현하기 |

읽을 사람을 고려하여 ☐

⬇

쓸 내용 ☐

⬇

떠올린 내용을 ☐

⬇

자신의 생각을 글로 ☐

⬇

호응 관계를 고려하여 ☐

2 기본형

✎ 밑줄 친 낱말의 기본형을 써 보세요.

1 종이를 잘라 꽃을 만들었다.
동강을 내거나 끊어 내어
⇒ ☐

2 노래를 크게 불러 목이 아프다.
음에 맞추어 노래의 가사를 소리 내어
⇒ ☐

3 내가 민수보다 한참이나 앞질러 갔다.
남보다 앞으로 나아가다.
⇒ ☐

4 체온을 올리기 위해 목에 목도리를 둘렀다.
띠나 수건, 치마 따위를
몸에 휘감았다.
⇒ ☐

5 국수를 너무 오래 삶았더니 면이 퉁퉁 불었다.
물에 젖어서 부피가 커졌다.
⇒ ☐

6 엄마는 김밥을 예쁘게 말아 도시락 통에 담아 주셨다.
얇고 넓적한 물건에 내용물을 넣고 돌돌 감아 싸서
⇒ ☐

7 길을 가던 외국인이 나에게 지하철역이 어디인지 물었다.
대답이나 설명을 해 달라는 뜻으로 말했다.
⇒ ☐

3 문장 성분

'문장 성분'은 주어, 목적어, 서술어와 같이 문장을 구성하는 단위를 말해요. 문장 성분마다 문장 안에서 하는 기능이 달라요.

> ### 언니가 노래를 부른다.
> 주어   목적어   서술어

🖉 **다음 문장에서 주어를 찾아 ○표 하세요.**

주어는 문장에서 동작이나 상태의 주체가 되는 말이에요. 문장에서 '무엇이'에 해당하는 부분이 '주어'예요.

① 이것은 책이다.

② 아기가 잠을 잔다.

🖉 **다음 문장에서 서술어를 찾아 ○표 하세요.**

서술어는 주어의 움직임, 상태, 성질 따위를 풀이하는 말이에요. 문장에서 '무엇이다, 어찌하다, 어떠하다'에 해당하는 부분이 '서술어'예요.

① 이것은 연필이다.

② 학생이 의자에 앉는다.

🖉 **다음 문장에서 목적어를 찾아 ○표 하세요.**

목적어는 문장에서 동작의 대상이 되는 말이에요. 문장에서 '무엇을'에 해당하는 부분이 '목적어'예요.

① 누나가 피아노를 친다.

② 나는 인형을 좋아한다.

✏ 낱말 카드를 주어, 목적어, 서술어의 순서로 배열하여 문장을 만들어 써 보세요.

①   새가   난다   하늘을

⇨ _____ .

②   요리를   아빠가   하신다

⇨ _____ .

③   책을   읽는다   동생이

⇨ _____ .

✏ 다음 문장에서 주어, 목적어, 서술어만 남기고 줄여 써 보세요.

① 동생이 방에서 새근새근 잡니다.

⇨ _____ .

② 별이 보석처럼 매우 반짝입니다.

⇨ _____ .

③ 나는 놀이터에서 사진을 찍었습니다.

⇨ _____ .

④ 나는 음식을 맛있게 먹습니다.

⇨ _____ .

4 주제별 어휘 집 짓기

사람들은 오래전부터 외부 환경으로부터 자신들을 보호하기 위해 집을 지어 그 속에 들어가 살았어요. '집 짓기'는 흙이나 나무, 돌, 벽돌, 쇠 따위를 써서 세우거나 쌓아 집을 만드는 일을 뜻해요.

✏️ 빈칸에 알맞은 낱말을 [보기]에서 찾아 써 보세요.

보기

| 기와 | 목수 | 인부 | 축대 | 대들보 | 설계도 | 주춧돌 |

1 ⬚ 에 다양한 무늬를 새길 수 있다.

지붕을 덮는 데 쓰기 위하여 흙을 굽거나 시멘트를 굳힌 것

2 이 절터에는 ⬚ 만 여러 개 남아 있다.

기둥 밑에 기초로 받쳐 놓는 돌

3 ⬚ 를 보면 집의 구조를 한눈에 알 수 있다.

설계한 구조, 치수 따위를 그린 도면

4 지붕을 튼튼하게 하려고 좋은 나무로 ⬚ 를 삼았다.

기둥과 기둥 위를 건너질러 가로로 놓인 큰 나무 대

5 ⬚ 는 튼튼하고 색깔이 고운 목재를 골라 집을 지었다.

나무로 집을 짓거나 가구 따위의 물건을 만드는 사람

6 ⬚ 들이 건설 현장에서 땀을 뻘뻘 흘리며 짐을 나르고 있다.

품삯을 받고 육체노동을 하는 사람

7 산사태를 방지하기 위해 경사진 곳에 나무를 심고 ⬚ 를 쌓았다.

높이 쌓아 올린 대나 터

5 행동을 당하는 말 보이다

낱말에 '–이–, –히–, –리–, –기–'를 붙여 행동을 당하는 말을 만들 수 있어요.

바다를 보다. → 바다가 보이다.

✏️ 밑줄 친 낱말을 행동을 당하는 말로 바꿔 써 보세요.

1 산을 <u>보다</u>.　　　　　　　➡ 산이 [＿＿＿＿].

2 못을 <u>박다</u>.　　　　　　　➡ 못이 [＿＿＿＿].

3 소식을 <u>끊다</u>.　　　　　　➡ 소식이 [＿＿＿＿].

4 신문에 글을 <u>싣다</u>.　　　　➡ 글이 신문에 [＿＿＿＿].

5 개가 사람을 <u>물다</u>.　　　　➡ 사람이 개에게 [＿＿＿＿].

6 사냥꾼이 새를 <u>잡다</u>.　　　➡ 새가 사냥꾼에게 [＿＿＿＿].

7 엄마가 동생을 <u>업다</u>.　　　➡ 동생이 엄마에게 [＿＿＿＿].

6 문장의 호응

'호응'은 문장에서 앞에 어떤 말이 오고 짝인 말이 뒤따라오는 것을 뜻해요. 호응이 되지 않으면 문장이 어색해지거나, 전달하려는 뜻이 잘못 전해질 수 있어요.

🖉 빈칸에 알맞은 말을 찾아 연결하고, 바르게 써 보세요.

① 푸른 바다가 [   ].   •   •   보신다

② 내일은 연극을 [   ].   •   •   보인다

③ 할아버지께서 텔레비전을 [   ].   •   •   볼 거야

🖉 문장의 밑줄 친 부분에 나타난 호응 관계가 무엇인지 빈칸에 알맞은 낱말을 써 보세요.

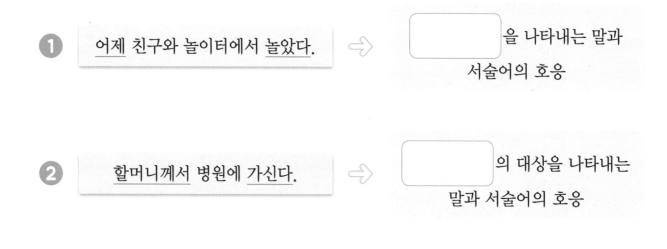

① 어제 친구와 놀이터에서 놀았다.   ⇨   [   ]을 나타내는 말과 서술어의 호응

② 할머니께서 병원에 가신다.   ⇨   [   ]의 대상을 나타내는 말과 서술어의 호응

③ 도둑이 경찰에게 잡혔다.   ⇨   동작을 당하는 [   ]와 서술어의 호응

58

밑줄 친 부분과의 호응 관계를 생각하며 알맞은 낱말을 찾아 ○표 하세요.

1

➡ 나는 <u>어제</u> 수족관에 (갔다 / 간다).

2

➡ <u>할머니께서</u> 사탕을 (주었다 / 주셨다).

3

➡ 저 멀리 큰 <u>유람선이</u> (보인다 / 본다).

4

➡ 그물에 <u>물고기가</u> 잔뜩 (잡혔다 / 잡았다).

5
➡ 나는 <u>내일</u> 언니와 함께 영화를 (봤어 / 볼 거야).

7 흉내 내는 말 차곡차곡

🖉 빈칸에 알맞은 낱말을 [보기]에서 찾아 써 보세요.

[보기]

| 살살 | 툴툴 | 뚜벅뚜벅 | 싹둑싹둑 | 옥신각신 | 차곡차곡 | 뭉그적뭉그적 |

1 옷을 ＿＿＿＿＿＿＿ 개서 옷장에 넣었다.
　　　　物건을 가지런히 겹쳐 쌓거나 포개는 모양

2 미용사는 손님의 머리칼을 ＿＿＿＿＿＿＿ 잘랐다.
　　　　　　　　　　　가위 따위로 자꾸 자르거나 베는 소리 또는 모양

3 그는 뒤도 돌아보지 않고 ＿＿＿＿＿＿＿ 걸어갔다.
　　　　　발자국 소리를 뚜렷이 내며 잇따라 걸어가는 소리. 또는 그 모양

4 동생은 좋아하는 반찬이 없다며 ＿＿＿＿＿＿＿ 투정을 부렸다.
　　　　　　　　마음에 차지 아니하여 몹시 투덜거리는 모양

5 방바닥을 ＿＿＿＿＿＿＿ 기어 다니는 거미를 밖으로 내보냈다.
　　　　남이 모르게 살그머니 행동하는 모양

6 나는 언니와 사소한 일들로 ＿＿＿＿＿＿＿ 말다툼을 자주 한다.
　　　　　　서로 옳으니 그르니 하며 다투는 모양

7 나는 졸린 눈을 비비며 학교에 가려고 ＿＿＿＿＿＿＿ 일어났다.
　　　　　　　　나아가지 못하고 제자리에서 게으르게 행동하는 모양

8 잘못 쓰기 쉬운 말 들르다

✏️ 밑줄 친 낱말을 알맞게 고쳐 써 보세요.

1 물을 마셔도 딸꾹질이 <u>멈치지</u> 않았다. ⇨ ☐

2 집에 가는 길에 마트에 <u>들렸다</u> 갈까? ⇨ ☐

3 산에서 내려오다가 엉덩방아를 <u>찌을</u> 뻔했다. ⇨ ☐

4 할머니 댁에 <u>갔드니</u> 할머니가 무척 반가워하셨다. ⇨ ☐

5 번철에 식용유를 골고루 <u>둘른</u> 뒤 전을 부쳤다. ⇨ ☐

6 오늘은 어려운 부분을 공부해서 <u>그른지</u> 머리가 아팠다. ⇨ ☐

7 민수야, 이번에 네가 쓴 글을 학급 신문에 <u>실도록</u> 하자. ⇨ ☐

9 타교과 어휘 수학

🖊 주어진 뜻에 알맞은 낱말을 찾아 ○표 하세요.

1 뒤섞어서 한데 합함. ⇨ 합성   혼합

2 어떤 수를 나누어떨어지게 하는 수 ⇨ 약수   정수

3 일정한 차례나 간격에 따라 벌여 놓은 표 ⇨ 그래프   배열표

4 여러 부품을 하나의 구조물로 짜 맞춤. 또는 그런 것 ⇨ 설립   조립

5 분수의 분모와 분자를 공약수로 나누어 간단하게 하는 일 ⇨ 소분   약분

6 분모가 다른 둘 이상의 분수나 분수식에서, 분모를 같게 만듦. ⇨ 통분   통합

7 어떤 두 대상이 주어진 어떤 관계에 의하여 서로 짝이 되는 일 ⇨ 대응   응대

빈칸에 알맞은 낱말을 써서 문장을 완성하세요.

1 5, 15, 20……은 5의 | 비 | 수 | 이다.
어떤 수의 몇 배가 되는 수

2 계산을 하기 위해 계산기에 숫자를 | 이 | 력 | 했다.
문자나 숫자 등의 정보를 컴퓨터가 기억하게 함.

3 나무 도막이 놓인 모습에서 | ㄱ | 치 | 을 발견하였다.
어떤 일이나 현상에 일정하게 나타나는 질서나 법칙

4 | 다 | 우 | 부 | 수 | 를 이용하여 원을 채워 보았다.
분자가 1인 분수

5 사다리꼴의 | 미 | 벼 | 과 높이를 알면 넓이를 구할 수 있다.
삼각형이나 사다리꼴에서 밑에 있는 변

6 정다각형의 한 변의 길이를 알면 | 두 | ㄹ | 를 구할 수 있다.
사물의 가장자리를 한 바퀴 돈 길이

7 이 삼각형의 넓이는 30 | ㅈ | ㄱ | ㅅ | ㅌ | ㅁ | ㅌ | 이다.
넓이의 단위. 제곱미터의 만분의 1

다음 빈칸에 글자를 넣어 낱말을 완성하세요.

¹ ☐ 다 ▷ 물에 젖어서 부피가 커지다.

² 주 ☐ 돌 ▷ 기둥 밑에 기초로 받쳐 놓은 돌

³ ☐ 수 ▷ 어떤 수를 나누어떨어지게 하는 수

⁴ 설 ☐ 도 ▷ 설계한 구조, 치수 따위를 그린 도면

⁵ ☐ 신 ☐ 신 ▷ 서로 옳으니 그르니 하며 다투는 모양

⁶ 차 ☐ 차곡 ▷ 물건을 가지런히 겹쳐 쌓거나 포개는 모양

⁷ 입 ☐ ▷ 문자나 숫자 등의 정보를 컴퓨터가 기억하게 함.

⁸ 호 ☐ ▷ 문장에서 앞에 어떤 말이 오고 짝인 말이 뒤따라오는 것

⁹ ☐ 와 ▷ 지붕을 덮는 데 쓰기 위하여 흙을 굽거나 시멘트를 굳힌 것

¹⁰ 대 ☐ ▷ 어떤 두 대상이 주어진 어떤 관계에 의하여 서로 짝이 되는 일

정답   1. 붇   2. 춧   3. 약   4. 계   5. 옥, 각   6. 곡   7. 력   8. 응   9. 기   10. 응

11 ⬚합 — 뒤섞어서 한데 합함.

12 ⬚대 — 높이 쌓아 올린 대나 터

13 앞지⬚다 — 남보다 앞으로 나아가다.

14 ⬚수 — 어떤 수의 몇 배가 되는 수

15 인⬚ — 품삯을 받고 육체노동을 하는 사람

16 둘⬚ — 사물의 가장자리를 한 바퀴 돈 길이

17 ⬚살 — 남이 모르게 살그머니 행동하는 모양

18 배⬚표 — 일정한 차례나 간격에 따라 벌여 놓은 표

19 툴⬚ — 마음에 차지 아니하여 몹시 투덜거리는 모양

20 ⬚분 — 분모가 다른 둘 이상의 분수나 분수식에서, 분모를 같게 만듦.

정답 11. 혼   12. 축   13. 르   14. 배   15. 부   16. 레   17. 살   18. 열   19. 툴   20. 통

5장 글쓴이의 주장

1 낱말의 관계

한 낱말이 여러 가지 뜻을 가진 경우에 그 낱말을 '다의어'라고 해요. 형태는 같지만 뜻이 서로 다른 낱말은 '동형어'라고 해요.

| 동형어 | 쓰다¹ | 1. 종이 따위에 획을 그어서 일정한 글자를 적다.
2. 머릿속의 생각을 종이 따위에 글로 나타내다.
3. 일정한 양식을 갖춘 글을 쓰는 작업을 하다. | 다의어 |
| | 쓰다² | 1. 모자 따위를 머리에 얹어 덮다.
2. 얼굴에 어떤 물건을 걸거나 덮어쓰다.
3. 먼지나 가루 따위를 몸이나 물체 따위에 덮은 상태가 되다. | 다의어 |

✏️ 다음 밑줄 친 두 낱말의 관계가 동형어인지 다의어인지 써 보세요.

1 새로 산 모자를 <u>쓰고</u> 밖에 나갔다. / 감기에 걸려서 마스크를 <u>썼다</u>. ⇨ ☐

2 오늘까지 입학 원서를 <u>써야</u> 한다. / 날이 추워 담요를 머리까지 <u>썼다</u>. ⇨ ☐

3 내 취미는 연습장에 펜글씨를 <u>쓰는</u> 것이다. / 나는 매일 저녁에 일기를 <u>쓴다</u>. ⇨ ☐

4 친구에게 보내는 편지를 <u>썼다</u>. / 우리는 가면을 만들어 <u>쓰고</u> 연극을 했다. ⇨ ☐

2 형태는 같은데 뜻이 다른 말 1 다리

'사람이나 동물의 몸통 아래에 붙어 있는 신체의 부분'도 '다리'이지만 '건너다닐 수 있도록 만든 시설물'도 '다리'예요.

13

월

일

✏️ 빈칸에 공통으로 들어갈 낱말을 써 보세요.

1 ㅂ

① 아기의 ☐ 이 정말 작다.
사람이나 동물의 다리 맨 끝부분

② 가게 문에 ☐ 이 드리워져 있다.
줄 따위를 여러 개 나란히 늘어뜨려 만든 물건

2 ㅂ

① 약초를 먹고 ☐ 이 나았다.
생물체가 건강이 나빠진 상태

② ☐ 에 든 주스를 컵에 따라 마셨다.
액체나 가루를 담는 데 쓰는, 목이 길고 좁은 그릇

3 ㅌ

① 그는 면도하다가 실수로 ☐ 을 베었다.
사람의 입 아래에 있는 뾰족하게 나온 부분

② 이곳은 ☐ 이 높아 자전거를 타기에는 위험하다.
평평한 곳의 어느 한 부분이 갑자기 조금 높이 된 자리

4 ㄷ ㄹ

① 오래 걸었더니 ☐☐ 가 아프다.
사람이나 동물의 몸통 아래에 붙어 있는 신체의 부분

② 강 건너편으로 가려고 ☐☐ 를 건넜다.
물을 건너갈 수 있도록 만든 시설물

67

3 형태는 같은데 뜻이 다른 말 2 들다

🖊 밑줄 친 낱말의 알맞은 뜻을 찾아 번호를 써 보세요.

들다
① 밖에서 속이나 안으로 향해 가거나 오거나 하다.
② 비나 눈이 그치고 날이 좋아지다.
③ 날이 날카로워 물건이 잘 베어지다.
④ 손에 가지다.

1 신발을 들고 저를 따라오세요.   ⇨ [　　]

2 오솔길을 따라 숲속에 들었다.   ⇨ [　　]

3 날이 들어 밝아지니 기분이 좋다.   ⇨ [　　]

4 신부가 예쁜 부케를 손에 들고 있다.   ⇨ [　　]

5 낫이 잘 들지 않아 벼를 베기 어렵다.   ⇨ [　　]

6 칼이 아주 잘 드니 조심해서 사용해야 한다.   ⇨ [　　]

7 계속 그렇게 서 있지 말고 어서 안으로 드시지요. ⇨ [　　]

4 뜻이 여러 가지인 말 1 일어나다

🖊 밑줄 친 낱말의 알맞은 뜻을 찾아 번호를 써 보세요.

일어나다	① 누웠다가 앉거나 앉았다가 서다.
	② 잠에서 깨어나다.
	③ 어떤 일이 생기다.
	④ 어떤 마음이 생기다.

1 친구가 자꾸 나를 놀려서 화가 불쑥 <u>일어났다</u>. ⇨ ☐

2 나는 주말이면 아침 일찍 <u>일어나</u> 아빠와 산에 간다. ⇨ ☐

3 안전사고가 <u>일어나지</u> 않도록 복도에서는 뛰지 마세요. ⇨ ☐

4 친구들 사이에 싸움이 <u>일어나자</u> 민찬이가 앞장서서 말렸다. ⇨ ☐

5 휴일을 맞아 산으로 갈지 바다로 갈지 마음에 갈등이 <u>일어났다</u>. ⇨ ☐

6 나는 휴대 전화를 놀이터에 두고 온 것이 생각나 벌떡 <u>일어났다</u>. ⇨ ☐

7 친구들과 이야기하다가 집에 갈 시간이 되어 자리에서 <u>일어났다</u>. ⇨ ☐

5 뜻이 여러 가지인 말 2 잇다

🖉 다음 상자 안의 밑줄 친 낱말의 뜻을 찾아, 그 문장 번호를 써 보세요.

① 섬과 육지를 다리로 이었다.

② 개인 발표에 이어 모둠 발표를 하겠습니다.

③ 기침이 계속 나서 말을 잇기 어려웠다.

④ 표를 사기 위해 사람들이 줄을 이어 서 있다.

⑤ 전화선은 여기에 이어서 사용하면 된다.

⑥ 교장 선생님의 말씀에 이어 교가 제창이 있겠습니다.

⑦ 휴게소 입구에 차량들이 꼬리를 잇고 서 있다.

⑧ 병든 새끼 고양이가 힘겹게 생명을 이어 갔다.

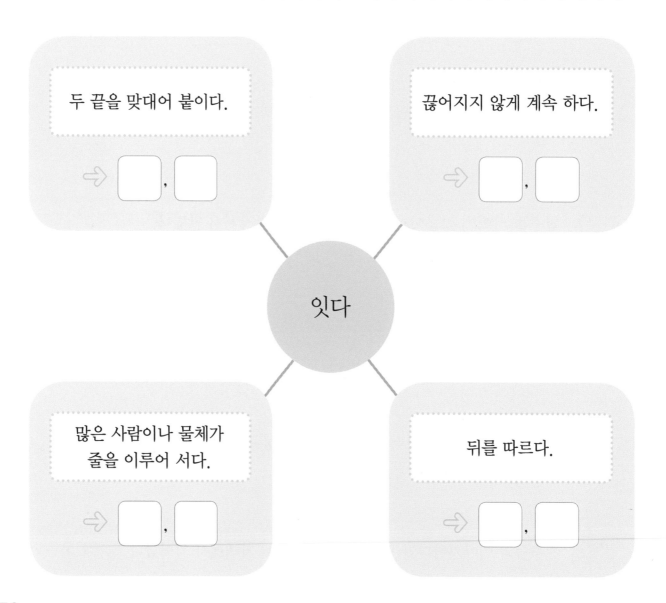

두 끝을 맞대어 붙이다.
→ ☐ , ☐

끊어지지 않게 계속 하다.
→ ☐ , ☐

잇다

많은 사람이나 물체가 줄을 이루어 서다.
→ ☐ , ☐

뒤를 따르다.
→ ☐ , ☐

6 올바른 발음 편리[펼리]

'ㄴ'과 'ㄹ'은 소리가 날 때 서로의 영향을 받아서 소리가 바뀌어요.

'ㄹ'이 올 때	'ㄹ'이 올 때 'ㄴ'으로 바뀜.
편리 → **[펼리]**	**결단력** → **[결딴녁]**
'ㄴ' 뒤에 'ㄹ'로 바뀜.	'ㄴ' 뒤에

🖉 밑줄 친 낱말의 알맞은 발음을 찾아 ○표 하세요.

1 쌀의 <u>생산량</u>이 작년보다 배로 늘었다.
일정한 기간 동안 물건이 생산되는 수량
⇨ [생산냥]　[생살량]

2 학생들의 <u>편리</u>를 위해 사물함을 설치했다.
이용하기 쉽고 편함.
⇨ [편니]　[펼리]

3 인공 지능은 <u>인류</u>에게 많은 도움이 될 것이다.
세계의 모든 사람
⇨ [인뉴]　[일류]

4 은어는 <u>산란기</u>에 강의 하류로 이동을 한다.
알을 낳을 시기
⇨ [산:난기]　[살:란기]

5 형은 <u>결단력</u>이 부족해서 망설이는 일이 많다.
결정적인 판단을 하거나 단정을 내릴 수 있는 능력
⇨ [결딴녁]　[결딸력]

6 법을 지키지 않으면 사회가 <u>혼란</u>에 빠진다.
여러 가지가 뒤섞여 질서가 없는 상태
⇨ [혼:난]　[홀:란]

7 우리는 도서관에서 역사 <u>관련</u> 자료를 찾아보았다.
여럿이 서로 관계를 맺고 있음.
또는 그 관계
⇨ [관년]　[괄련]

주제별 어휘 1 운전

'운전'은 자동차 따위를 움직여 부리는 것을 말해요. 운전을 할 때에는 교통질서를 잘 지켜야 해요.

빈칸에 알맞은 낱말을 [보기]에서 찾아 써 보세요.

| 과속 | 면허 | 속도 | 제동 | 주행 | 차선 | 교통질서 | 대중교통 |

차와 사람이 길을 지날 때 지켜야 하는 질서

자동차나 열차 따위가 달림.

정해진 것보다 지나치게 빠른 속도

특정한 일을 할 수 있도록 인정해 주는 자격

운전
자동차 따위를 움직이고 조정하는 것

자동차 도로에 일정한 간격으로 그어 놓은 선

여러 사람이 이용하는 버스, 지하철 따위의 교통수단

물체가 나아가는 빠르기

기계나 자동차 따위의 운동을 멈추는 것

8 주제별 어휘 2 창작

'창작'은 방안이나 물건 따위를 처음으로 만들어 내는 것을 말해요. 다른 사람들의 창작물을 이용할 때에는 반드시 허락을 구해야 해요.

🖊 빈칸에 알맞은 낱말을 [보기]에서 찾아 써 보세요.

보기

| 윤리 | 인용 | 출처 | 표절 | 상상력 | 저작권 | 창작물 |

1 교실 뒤에 걸린 시는 저의 [   ]입니다.

독창적으로 지어낸 예술 작품

2 글을 쓸 때에는 쓰기 [   ]를 지켜야 한다.

사람으로서 마땅히 지켜야 할 바람직한 행동 기준

3 적절한 [   ]은 글의 내용을 풍성하게 한다.

남의 말이나 글을 자신의 말이나 글 속에 끌어 쓰는 것

4 보고서를 쓸 때에는 사진의 [   ]를 밝히세요.

사물이나 말 따위가 생기거나 나온 곳

5 [   ]을 통해 저작자의 권리를 보호할 수 있다.

작가가 자기가 지은 것에 대해 가지는 권리

6 예술가들은 다른 사람들보다 [   ]이 풍부하다.

경험하지 않은 것에 대하여 마음속으로 그려 보는 힘

7 다른 사람의 작품을 함부로 [   ]해서는 안 된다.

시나 글, 노래 등을 지을 때에 남의 작품의 일부를 몰래 따다 씀.

9 뜻이 반대인 말 조급하다/느긋하다

밑줄 친 낱말과 뜻이 반대인 낱말을 [보기]에서 찾아 빈칸에 써 보세요.

보기

당기다	지키다	해롭다	흔하다	금지하다	느긋하다	불명확하다

1 약속 시간을 <u>어기지</u> 않고 잘 ☐ .

2 문을 안에서는 <u>밀고</u> 밖에서는 ☐ .

3 이 문제는 <u>명확하고</u> 그 문제는 ☐ .

4 낮에는 입산을 <u>허락하고</u> 밤에는 입산을 ☐ .

5 나는 성격이 <u>조급하고</u> 우리 언니는 성격이 ☐ .
　　　　　　참을성이 없이 급하고

6 영인이는 지각하는 일이 <u>드물고</u> 소민이는 지각하는 일이 ☐ .
　　　　　　　　　　　흔하거나 많지 않고

7 적당한 양의 나트륨은 몸에 <u>이롭고</u> 너무 많이 섭취하면 몸에 ☐ .
　　　　　　　　　　　유리하거나 이익이 되고

74

10 바꿔 쓸 수 있는 말 찾다

✏️ 밑줄 친 낱말과 바꿔 쓸 수 있는 낱말을 [보기]에서 찾아 활용하여 써 보세요.

보기

곧다	흉보다	공헌하다	과도하다
명심하다	빈번하다	준비하다	

① 뒤에서 남을 <u>헐뜯지</u> 말아라.
　　　　　　　남을 깎아내리거나 해치는 말을 하지
　　　　　　　⇨ ☐

② 철수는 욕심이 너무 <u>지나친</u> 것이 흠이다.
　　　　　　　　　　일정한 한도를 넘어 정도가 심한
　　　　　　　⇨ ☐

③ 우리 할아버지는 독립에 크게 <u>기여하셨다.</u>
　　　　　　　　　　　　도움이 되도록 이바지하셨다.
　　　　　　　⇨ ☐

④ 컴퓨터 고장이 <u>잦아서</u> 새로 바꾸기로 했다.
　　　　　　　　잇따라 자주 있어서
　　　　　　　⇨ ☐

⑤ 손님을 초대하여 음식을 <u>마련하느라</u> 매우 바쁘다.
　　　　　　　　　　　필요한 것을 미리 준비하여 두느라
　　　　　　　⇨ ☐

⑥ 민지는 생각이 <u>올발라서</u> 친구들의 본보기가 된다.
　　　　　　　　말이나 생각, 행동 따위가 규범에서
　　　　　　　벗어남이 없이 옳고 발라서
　　　　　　　⇨ ☐

⑦ 다음번에는 같은 실수를 하지 않도록 내 말을 <u>유념해라.</u>
　　　　　　　　　　　　　　　　마음속에 깊이
　　　　　　　　　　　　　　　　기억하고 생각해라.
　　　　　　　⇨ ☐

타교과 어휘 사회

✏️ 빈칸에 알맞은 낱말을 써서 문장을 완성해 보세요.

1 도시는 농촌에 비해 인구 | 미 | 지 | 지역이다.
빈틈없이 빽빽하게 모임.

2 개인의 | 이 | 궈 | 은 어떠한 경우에도 침해되어서는 안 된다.
인간으로서 당연히 가지는 기본적 권리

3 우리나라는 몇 년 내에 초고령 사회에 | 지 | 이 | 할 것이다.
일정한 상태에 들어감.

4 어린이를 어른과 동등한 하나의 | 이 | ㄱ | 체 | 로 대해야 한다.
사람으로서의 자격을 갖춘 독립적인 존재

5 전체 인구에서 | ㄴ | 녀 | 츠 | 이 차지하는 비율은 계속 늘고 있다.
사회 구성원 가운데 노년기에 있는 사람을 통틀어 이르는 말

6 경쟁에서 살아남으려면 | 쳐 | 다 | 기술을 지속적으로 개발해야 한다.
시대나 학문, 유행 등의 가장 앞서는 자리

7 과거에는 출산율이 높았지만 요즘에는 | ㅈ | 츠 | 사 | 현상이 나타나고 있다.
아이를 적게 낳음.

8 교통의 발달로 | 새 | ㅎ | 귀 | 이 매우 넓어졌다.
통학이나 통근 따위의 일상생활을 하느라고 활동하는 범위

9 그 도시는 바다와 가까워 | 무 | ㄹ | 산업이 발달했다.
생산자가 만든 상품을 소비자에게 수송, 운반, 보관하는 과정

10 과거에 비해 국민의 자유와 권리가 크게 | 시 | 자 | 하였다.
세력이나 권리가 늘어남. 또는 늘어나게 함.

11 가난한 사람들에게 필요한 것은 | 도 | 저 | 이 아니라 사랑이다.
남의 어려운 처지를 자기 일처럼 딱하고 가엾게 여김.

12 조선 시대 | ㅅ | 어 | 들은 능력이 뛰어나더라도 벼슬길이 막혀 있었다.
양반과 양반이 아닌 여성 사이에서 낳은 아들

13 자녀를 지나치게 간섭하는 것만큼 무조건 | 바 | 이 | 하는 것도 좋지 않다.
돌보거나 참견하지 않고 제멋대로 내버려 둠.

14 정부는 도시의 인구 집중을 해결하기 위해 | 시 | ㄷ | ㅅ | 를 건설하였다.
대도시 근처에 계획적으로 새로 만든 도시

15일
월
일

어휘력을 높이는 확인 학습

다음 빈칸에 낱말을 넣어 문장을 완성하세요.

조급하다

참을성이 없이 급하다.

예 그는 시험 결과를 기다리며 ☐☐해 했다.

들다

날이 날카로워 물건이 잘 베어지다.

예 칼이 잘 ☐어야 음식을 만드는 것이 수월하다.

편리

이용하기 쉽고 편함.

예 기술의 발달로 인해 삶이 ☐☐하게 바뀌었다.

혼란

여러 가지가 뒤섞여 질서가 없는 상태

예 금융 위기로 인해 나라 경제가 ☐☐에 빠졌다.

노년층

사회 구성원 가운데 노년기에 있는 사람을 통틀어 이르는 말

예 이 보험 상품은 ☐☐☐을 위해 만들어진 것이다.

물류

생산자가 만든 상품을 소비자에게 수송, 운반, 보관하는 과정

예 김 반장은 ☐☐ 창고를 관리하는 역할을 맡고 있다.

인용

남의 말이나 글을 자신의 말이나 글 속에 끌어 쓰는 것

예 글을 쓰며 참고 서적에서 몇 구절을 뽑아 ☐☐하였다.

발

줄 따위를 여러 개 나란히 늘어뜨려 만든 물건

예 마을 주민은 문을 열어놓는 대신 ☐을 늘어뜨리고 지냈다.

밀집	빈틈없이 빽빽하게 모임.
	(예) 도시의 중심지에는 사무실에 ☐☐ 해 있다.

동정	남의 어려운 처지를 자기 일처럼 딱하고 가엾게 여김.
	(예) 어려운 이웃에게 ☐☐ 을 베풀 줄 알아야 한다.

생활권	통학이나 통근 따위의 일상생활을 하느라고 활동하는 범위
	(예) 통신의 발달로 세계는 하나의 ☐☐☐ 이 되었다.

유념하다	마음속에 깊이 기억하고 생각하다.
	(예) 환절기에 노약자는 각별히 건강에 ☐☐ 해야 한다.

방임	돌보거나 참견하지 않고 제멋대로 내버려 둠.
	(예) 폭력에 대한 무관심과 ☐☐ 이 더 큰 화를 부른다.

표절	시나 글, 노래 등을 지을 때에 남의 작품의 일부를 몰래 따다 씀.
	(예) 다른 사람의 작품을 ☐☐ 하는 것은 불법 행위이다.

저작권	작가가 자기가 지은 것에 대해 가지는 권리
	(예) 글쓴이는 자신이 쓴 글에 대한 ☐☐☐ 을 가진다.

주행	자동차나 열차 따위가 달림.
	(예) 자동차 ☐☐ 중에 전화기를 보는 것은 매우 위험하다.

6장 토의하여 해결해요

1 토의

문제가 발생했을 때 토의를 하면 문제 상황을 더 잘 이해할 수 있고 적절한 문제 해결 방법을 찾을 수 있어요.

토의의 뜻으로 알맞은 내용을 [보기]에서 찾아 써 보세요.

보기

- 어떤 문제를 여러 사람이 협력해 해결하는 방법
- 어떤 문제에 대해 찬반으로 나뉘어 상대방을 설득하는 방법

토의는 _____ 이다.

토의의 절차를 정리하려고 합니다. 빈칸에 알맞은 말을 찾아 써 보세요.

의견 모으기	주제 정하기
의견 마련하기	의견 결정하기

토의의 절차는 ① 토의 _____ ➡ ② 자신의 _____

➡ ③ 각자 정리한 _____ ➡ ④ _____ 이다.

2 올바른 발음 학생[학쌩]

받침이 'ㄱ, ㄷ, ㅂ'로 발음되고 뒤에 된소리 쌍을 갖는 자음이 오면, 뒤에 오는 자음은 된소리로 발음해요.

된소리 쌍을 갖는 자음 ─→ 된소리로 발음됨.

학생 → [학쌩]

'ㄱ' 받침 뒤에

✏️ 밑줄 친 낱말의 알맞은 발음을 찾아 ○표 하세요.

① 어제 아빠와 <u>농구</u> 경기를 보러 갔다. ⇨ [농구]   [농꾸]

② 점심시간에 운동장에서 <u>축구</u>를 했다. ⇨ [축구]   [축꾸]

③ 친구와 주말에 만나기로 <u>약속</u>을 했다. ⇨ [약속]   [약쏙]

④ 나는 매일 오후에 피아노 <u>연습</u>을 한다. ⇨ [연습]   [연씁]

⑤ 등굣길에 만난 선생님께 <u>인사</u>를 드렸다. ⇨ [인사]   [인싸]

⑥ 친구에게 생일 선물을 <u>직접</u> 만나서 주었다. ⇨ [직접]   [직쩝]

⑦ 엄마께서 새로 사 주신 옷을 <u>옷장</u>에 넣었다. ⇨ [옫장]   [옫짱]

3 뜻이 반대인 말 다수/소수

밑줄 친 낱말과 뜻이 반대인 낱말을 [보기]에서 찾아 빈칸에 써 보세요.

보기

| 강화 | 단점 | 소수 | 불법 | 직접 | 후문 | 후배 |

1 민수 형은 나의 선배이면서 우리 형의 [   ]이다.

같은 학교를 나중에 나온 사람

2 체력이 약화되어서 운동을 통해 다시 [   ]해야겠다.

세력이나 힘을 더 강하고 튼튼하게 함.

3 우리 집은 학교 정문에서보다 학교 [   ]에서 더 가깝다.

뒷문

4 다수의 의견도 중요하지만 [   ]의 의견도 존중해야 한다.

적은 수효의 사람

5 돈을 주고 물건을 사는 것은 합법이지만 훔치는 것은 [   ]이다.

법에 어긋남.

6 시골에 살면 공기가 좋다는 장점이 있지만 교통이 불편한 [   ]이 있다.

잘못되고 모자라는 점

7 책을 통해 간접 체험을 하는 것도 좋지만 [   ] 체험을 하는 것이 더 좋다.

중간에 다른 사람이나 물건 없이 바로 연결되는 관계

4 주제별 어휘 1 회의

'회의'는 여러 사람이 모여 어떤 일에 대해 다양한 의견을 나누는 것을 말해요. 회의를 하면 다양한 의견 중 가장 좋은 의견을 정할 수 있어요.

🖊 빈칸에 알맞은 낱말을 [보기]에서 찾아 써 보세요.

보기

| 검토 | 논의 | 대책 | 방안 | 안건 | 협력 | 다수결 |

1 일을 할 때 ⬚ 하면 시간을 줄일 수 있다.
힘을 합하여 서로 도움.

2 지금까지 나온 의견들을 신중하게 ⬚ 해 보자.
어떤 사실이나 내용을 분석하여 따짐.

3 민주주의 사회에서는 ⬚ 의 원칙을 존중한다.
다수의 찬성이나 반대에 따라 어떤 일을 결정하는 일

4 그 문제를 해결하기 위한 좋은 ⬚ 이 떠올랐다.
일을 처리하거나 해결하여 나갈 방법이나 계획

5 교무실에서 보충 수업을 ⬚ 으로 회의가 열렸다.
토의하거나 조사하여야 할 사실

6 이 문제를 해결하기 위해 서둘러 ⬚ 을 세워야 한다.
어떤 일에 대처할 계획이나 수단

7 이 상황을 어떻게 벗어날 것인지에 대해 함께 ⬚ 를 하자.
어떤 문제에 대하여 서로 의견을 내어 토의함.

'학교'는 학생에게 교육을 실시하는 기관이에요. 학생들은 학교에서 공부를 할 뿐만 아니라 친구를 사귀고 예절을 배우는 등 다양한 활동을 해요.

✏️ 빈칸에 알맞은 낱말을 [보기]에서 찾아 넣어 낱말의 뜻풀이를 완성해 보세요.

보기

교육   교실   기념   목표   전체   자격   주체

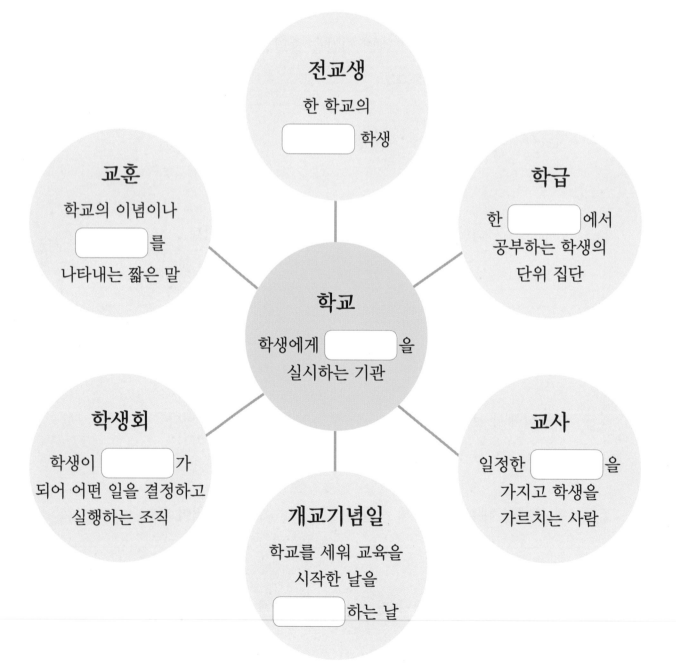

전교생
한 학교의 [   ] 학생

교훈
학교의 이념이나 [   ]를 나타내는 짧은 말

학급
한 [   ]에서 공부하는 학생의 단위 집단

학교
학생에게 [   ]을 실시하는 기관

학생회
학생이 [   ]가 되어 어떤 일을 결정하고 실행하는 조직

개교기념일
학교를 세워 교육을 시작한 날을 [   ]하는 날

교사
일정한 [   ]을 가지고 학생을 가르치는 사람

6 주제별 어휘 3 교통

'교통'은 자동차, 기차 따위를 이용하여 사람이 오고 가거나, 짐을 실어 나르는 일을 뜻하는 말이에요. 교통의 발달은 인간의 삶에 다양한 영향을 끼쳐 왔어요.

✏️ 빈칸에 알맞은 낱말을 [보기]에서 찾아 써 보세요.

> **보기**
>
> 단속   건널목   교차로   주정차   교통사고   교통안전

1   된 차들로 인해 통행이 불편하다.

차를 일정한 곳에 세우는 것과 차를 멈추는 것을 아우르는 말

2 학교 앞에서 속도위반 차량을   하고 있다.

규칙이나 법령, 명령 따위를 지키도록 통제함.

3   을 충분히 고려하여 도로를 만들어야 한다.

교통질서를 잘 지켜 사고가 일어나지 않도록 방지하는 것

4 표지판을 설치한 이후   가 많이 줄어들었다.

움직이는 차가 사람을 치거나 다른 차에 부딪치는 것

5   를 건널 때에는 주위를 잘 살피며 길을 건너야 한다.

두 길이 엇갈린 곳. 또는 서로 엇갈린 길

6 나는   에서 신호가 녹색으로 바뀌기를 기다리고 있었다.

강, 길, 내 따위에서 건너다니게 된 일정한 곳

85

7 뜻이 여러 가지인 말 모으다

🖊 밑줄 친 낱말의 알맞은 뜻을 찾아 번호를 써 보세요.

모으다   ① 한데 합치다.
         ② 특별한 물건을 구하여 갖추어 가지다.
         ③ 돈이나 재물을 써 버리지 않고 쌓아 두다.
         ④ 정신, 의견 따위를 한곳에 집중하다.

① 진경이는 우표를 모으는 취미를 가지고 있다.   ⇨ ☐

② 정신을 다시 모으고 읽던 책을 계속 읽었다.   ⇨ ☐

③ 형은 미간을 모으면서 고개를 자꾸만 갸웃거렸다.   ⇨ ☐

④ 할아버지는 아주 오래전부터 골동품을 사 모으셨다.   ⇨ ☐

⑤ 그는 바빠서 빨래는 모아 주말에 한꺼번에 처리한다.   ⇨ ☐

⑥ 여러 사람의 의견을 모아 해결 방법을 찾아보도록 하자.   ⇨ ☐

⑦ 우리들은 조금씩 돈을 모아 불우 이웃 돕기 성금으로 내놓았다.   ⇨ ☐

8 헷갈리기 쉬운 말 -든지/-던지

'-던지'는 과거에 한 행동에 대하여 생각하거나 추측할 때 쓰는 말이고, '-든지'는 어느 것이든 선택될 수 있음을 나타낼 때 쓰는 말이에요.

17일
○ 월
○ 일

먹든지 말든지 마음대로 해라.
선택

그는 배가 **고팠던지** 밥을 먹었다.
생각

🖉 자연스러운 문장이 되도록 알맞은 낱말을 찾아 ○표 하세요.

1 무엇을 (먹던지 / 먹든지) 맛있게 먹어라.

2 어디에 (살던지 / 살든지) 절대로 나를 잊지는 마라.

3 나는 그곳에 왜 (갔든지 / 갔던지) 생각이 나지 않았다.

4 동생은 몸이 (피곤했던지 / 피곤했든지) 종일 잠을 잤다.

5 한참 운동을 계속했으니까, 잠시 (쉬던지 / 쉬든지) 해라.

6 영화가 얼마나 (재미있던지 / 재미있든지) 지금도 웃음이 난다.

7 동생은 배가 많이 (고팠던지 / 고팠든지) 밥을 두 그릇이나 먹었다.

9 낱말 퀴즈

✏️ 빈칸에 알맞은 낱말을 써서 문장을 완성해 보세요.

1 지난주에 도서관에서 [ㄷ | 추 | 한] 책을 오늘 반납했다.
돈이나 물건 따위를 빌려주거나 빌린

2 아무도 없는 집에 혼자 있으니 매우 [ㄸ | 부 | 하 | 다].
지루하고 답답하다.

3 봉사 활동은 꾸준하게 [차 | ㅇ | 하 | 는] 것이 중요하다.
어떤 일에 끼어들어 함께 일하는

4 선생님은 정현이의 발표를 듣고 [ㅎ | 조 | 한] 표정을 지으셨다.
부족함이 없이 마음에 들어 좋은

5 축구 경기가 막바지에 이르자 점점 [ㅎ | ㅁ | 로 | 게] 진행되었다.
흥을 느끼는 재미가 있게

6 더 나은 내일을 맞이하기 위해서는 오늘을 [ㄱ | 주 | 히] 보내야 한다.
가치나 중요성이 크게

7 아이들은 방학 동안 누가 더 많이 자랐는지 서로 키를 [겨 | ㅈ | 어] 보았다.
둘 이상의 사물을 마주 놓고 비교하여

88

빈칸에 알맞은 낱말을 주어진 글자 카드로 만들어 써 보세요.

가　개　담　로　면　선　속　수　신

1 　거리에는 [　　　　] 가 줄지어 서 있다.

　　　길거리에 심은 나무

2 　고민이 있어 선생님께 [　　　　] 을 요청했다.

　　　서로 만나서 이야기함.

3 　경찰은 [　　　　] 하게 사건 현장으로 출동했다.

　　　매우 날쌔고 빠름.

4 　건강을 위해 잘못된 식습관을 [　　　　] 해야 한다.

　　　잘못된 것이나 나쁜 것 따위를 고쳐 더 좋게 만듦.

구　대　삼　시　역　연　표　행

5 　우리 '운동회'로 [　　　　] 를 지어 보자.

　　　세 줄로 이루어진 시

6 　[　　　　] 를 참고하면 역사를 이해하는 데 도움이 된다.

　　　역사상 발생한 사건을 시간순으로 배열하여 적은 표

7 　어린이 보호 [　　　　] 에서는 자동차의 주행 속도를 줄여야 한다.

　　　갈라놓은 지역

10 타교과 어휘 과학

✎ 주어진 뜻에 알맞은 낱말을 찾아 ○표 하세요.

1 영양이 되는 성분 ⇒ 양성   양분

2 태양의 주위를 도는 둥근 천체 ⇒ 위성   행성

3 일정한 간격을 두고 자꾸 되풀이하여 돎. ⇒ 순환   순회

4 부서지거나 망가져 못 쓰게 되어 남아 있는 물체 ⇒ 유해   잔해

5 전파를 이용하여 물체를 탐지하고 거리를 측정하는 장치 ⇒ 레이더   레이저

6 태양을 중심으로 타원이나 포물선을 그리며 도는, 꼬리가 달린 천체 ⇒ 혜성   소행성

7 눈이나 기계로 자연 현상을 자세히 살펴보아 어떤 사실을 짐작하거나 알아냄. ⇒ 관측   측량

90

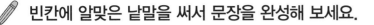

빈칸에 알맞은 낱말을 써서 문장을 완성해 보세요.

① 설탕은 물에 잘 | 요 | ㅎ | 되는 성질이 있다.
어떤 물질이 다른 물질에 녹아 골고루 섞이는 현상

② 이 탄산수에는 다량의 미네랄이 | 프 | ㅎ | 되어 있다.
어떤 무리나 범위에 함께 들어 있거나 함께 넣음.

③ 오래된 고기에서 식중독을 일으키는 균이 | 거 | 추 | 되었다.
주로 해로운 성분이나 요소 등을
검사하여 찾아내는 일

④ 운동이 끝나고 | 부 | 마 | 주 | 스 | 를 물에 타서 마셨다.
물을 부어서 주스로 만들어 먹는 가루. 또는 그 주스

⑤ 용액에서, 녹아 있는 물질은 | 요 | 지 | 이고, 녹인 액체는 용매이다.
녹는 물질

⑥ 뼈 건강을 위해서는 칼슘 | 서 | 부 | 이 들어 있는 음식물을 많이 먹어야 한다.
화합물이나 혼합물을 구성하는 각각의 원소나 물질

⑦ 운동선수들은 경기 전이나 후에 | ㄷ | 피 | 테 | 스 | 트 | 를 받는다.
운동선수가 약물을 사용했는지의 여부를 검사하는 일

18일

월

일

91

다음 빈칸에 글자를 넣어 낱말을 완성하세요.

1 ☐수 — 적은 수효의 사람

2 가로☐ — 길거리에 심은 나무

3 ☐성 — 태양의 주위를 도는 둥근 천체

4 안☐ — 토의하거나 조사하여야 할 사실

5 ☐주다 — 둘 이상의 사물을 마주 놓고 비교하다.

6 순☐ — 일정한 간격을 두고 자꾸 되풀이하여 돎.

7 교☐로 — 두 길이 엇갈린 곳. 또는 서로 엇갈린 길

8 교☐ — 학교의 이념이나 목표를 나타내는 짧은 말

9 ☐선 — 잘못된 것이나 나쁜 것 따위를 고쳐 더 좋게 만듦.

10 다☐결 — 다수의 찬성이나 반대에 따라 어떤 일을 결정하는 일

정답 1. 소   2. 수   3. 행   4. 건   5. 견   6. 환   7. 차   8. 훈   9. 개   10. 수

6장

¹¹ ☐ 질	녹는 물질
¹² 대 ☐	어떤 일에 대처할 계획이나 수단
¹³ 흡 ☐ 하다	부족함이 없이 마음에 들어 좋다.
¹⁴ ☐ 화	세력이나 힘을 더 강하고 튼튼하게 함.
¹⁵ 단 ☐	규칙이나 법령, 명령 따위를 지키도록 통제함.
¹⁶ 건 ☐ 목	강, 길, 내 따위에서 건너다니게 된 일정한 곳
¹⁷ 잔 ☐	부서지거나 망가져 못 쓰게 되어 남아 있는 물체
¹⁸ ☐ 해	어떤 물질이 다른 물질에 녹아 골고루 섞이는 현상
¹⁹ 연 ☐ 표	역사상 발생한 사건을 시간순으로 배열하여 적은 표
²⁰ 주 ☐ 차	차를 일정한 곳에 세우는 것과 차를 멈추는 것을 아우르는 말

정답 11. 용   12. 책   13. 족   14. 강   15. 속   16. 널   17. 해   18. 용   19. 대   20. 정

7 장 기행문을 써요

국어 교과서 212~233쪽

1 주제별 어휘 1 기행

여행을 다녀와서 보고 느낀 것을 기록하면 여행의 감격과 느낌을 오래 새겨 둘 수 있고, 다른 사람에게 여행지에 대한 간접 경험의 기회와 정보를 줄 수 있어요.

✏️ 다음 문장에 알맞은 낱말을 찾아 ○표 하세요.

1 여행을 하면 (견문 / 견적)을 넓힐 수 있다.
여행하며 보거나 들은 것

2 글을 쓰기 전에 (개요 / 전개)를 작성해야 한다.
주요 내용을 간략히 정리한 것

3 그곳에서의 (인상 / 감상)을 오래 기억하고 싶다.
여행하며 든 생각이나 느낌

4 우리 반은 내일 박물관으로 (견학 / 경험)을 간다.
어떤 일과 관련된 곳을 실제로 찾아가서 보고 배움.

5 우리는 2박 3일의 (시간 / 여정)으로 경주를 다녀왔다.
여행의 과정이나 일정

6 설악산을 다녀와서 쓴 (기행문 / 보고서)을 읽으니 그때의 기억이 떠올랐다.
여행하면서 보고, 듣고, 느끼고, 겪은 것을 적은 글

2 주제별 어휘 2 분위기

'분위기'는 '그 자리나 장면에서 느껴지는 기분'이나 '어떤 사람이나 사물이 지니는 독특한 느낌'을 의미해요.

밑줄 친 말을 [보기]에서 찾아 한 낱말로 바꿔 써 보세요.

보기

성스럽다	싱그럽다	아늑하다	아름답다
엄숙하다	웅장하다	신령스럽다	

1 여름의 풍경이 <u>싱싱하며 맑고 향기롭다</u>. ⇨ [   ]

2 오래된 느티나무가 <u>신기하고 묘한 데가 있다</u>. ⇨ [   ]

3 성당에서 치르는 결혼식은 <u>분위기가 무겁고 조용하다</u>. ⇨ [   ]

4 이 건물은 화려하면서 <u>크기가 무척 크고 무게가 있다</u>. ⇨ [   ]

5 그 성모상은 <u>함부로 가까이할 수 없을 만큼 거룩하다</u>. ⇨ [   ]

6 한라산의 경치가 <u>눈과 귀에 즐거움과 만족을 줄 만하다</u>. ⇨ [   ]

7 방안의 분위기가 <u>따뜻하고 편안하며 조용한 느낌이 있다</u>. ⇨ [   ]

3 주제별 어휘 3 산

가파른 산길을 따라 산을 오르다 보면 웅장하고 아름다운 자연과 마주하게 돼요. 많은 사람들은 자연이 주는 평안함과 즐거움을 얻기 위해 산을 찾아요.

밑줄 친 낱말에 알맞은 뜻을 찾아 연결하세요.

① 버스가 산비탈을 따라 올라갔다.

② 산 정상에 올라 기암을 감상했다.

③ 등산객들은 능선을 따라 산을 올랐다.

④ 절벽에서 아래를 내려다보니 아찔했다.

⑤ 폭포가 큰 소리를 내며 쏟아지고 있다.

⑥ 비가 온 뒤라 계곡에 물이 많이 불었다.

⑦ 나는 주말마다 아빠와 뒷산에 올라 오솔길을 산책한다.

폭이 좁고 조용한 길

기이하게 생긴 바위

물이 흐르는 골짜기

산의 등줄기를 따라 죽 이어진 선

산속의 비스듬히 기울어진 곳

벼랑에서 세차게 쏟아져 내리는 물줄기

바위가 깎아 세운 것처럼 아주 높이 솟아 있는 험한 낭떠러지

96

4 주제별 어휘 4 비행

공항에는 하루에도 수많은 항공기가 뜨고 내려요. 공항의 엄격한 관리와 통제에 따라 많은 항공기들이 비행을 시도해요.

✎ 빈칸에 알맞은 낱말을 [보기]에서 찾아 써 보세요.

보기

| 기장 | 선회 | 운항 | 관제탑 | 승무원 | 활주로 |

비행장에서 비행기가 뜨거나 내릴 때 달리는 길

비행기를 조종하면서 운행을 책임지는 사람

항공기가 곡선을 그리듯 진로를 바꿈.

비행
공중으로 날아가거나 날아다님.

배나 비행기가 정해진 길이나 목적지를 오고 감.

운행과 승객에 관한 일을 맡아서 하는 사람

비행기가 뜨고 내리는 것을 지시하고 비행장 안을 통제하는 탑

5 뜻을 더하는 말 1 치-

'치-'는 '위로 향하게' 또는 '위로 올려'의 뜻을 더하는 말이에요.

🖉 주어진 뜻에 알맞은 낱말을 써 보세요.

1 아래에서 위로 훑다.　　　　　　　⇨ | 치 | | |

2 눈을 위쪽으로 뜨다.　　　　　　　⇨ | 치 | | |

3 위쪽으로 힘차게 솟다.　　　　　　⇨ | 치 | | |

4 밑에서 위쪽으로 글을 읽다.　　　　⇨ | 치 | | |

5 아래에서 위쪽을 향하여 받다.　　　⇨ | 치 | | |

6 아래에서 위로 힘차게 솟아오르다.　⇨ | 치 | ㅁ | |

7 위쪽으로 달리거나 달려 올라가다.　⇨ | 치 | ㄷ | |

6 뜻을 더하는 말 2 -지

'-지'는 '장소'의 뜻을 더하는 말이에요.

✎ 밑줄 친 부분을 하나의 낱말로 바꿔 써 보세요.

① <u>관광할 만한 장소</u>를 추천해 주세요. ⇨ [ ] [ ] [지]

② <u>목적으로 삼는 데</u>가 어디 입니까? ⇨ [ ] [ ] [지]

③ 경주에는 신라의 <u>역사적 자취가 남은 장소</u>가 많다. ⇨ [ㅇ] [저] [지]

④ <u>여행하는 곳</u> 중에 가장 좋아하는 곳은 어디입니까? ⇨ [ ] [ ] [지]

⑤ <u>현재 살고 있는 장소</u>가 바뀌면 동사무소에 신고해야 한다. ⇨ [ㄱ] [ㅈ] [지]

⑥ 나는 한 번도 이사가지 않고 <u>태어난 곳</u>에서 쭉 살고 있다. ⇨ [ㅊ] [ㅅ] [지]

⑦ 제주도는 <u>편안히 쉬면서 몸과 마음을 돌보기에 알맞은 곳</u>이다. ⇨ [ㅎ] [야] [지]

7 바꿔 쓸 수 있는 말 상공

✏️ 밑줄 친 낱말과 바꿔 쓸 수 있는 낱말을 [보기]에서 찾아 써 보세요.

보기

멋 경치 빨래 비탈 자리 하늘 화구

1 산 정상에 올라 분화구를 내려다보았다. ⇨ [　　]
화산이 터질 때 용암과 화산 가스 따위를 내뿜는 구멍

2 아름다운 자연의 풍광에 감동을 받았다. ⇨ [　　]
산이나 들, 강, 바다 따위의 자연이나 지역의 모습

3 소라는 말끔하고 맵시 있는 옷차림이었다. ⇨ [　　]
아름답고 보기 좋은 모양새

4 상공에 높이 떠 있는 연을 한참 동안 바라보았다. ⇨ [　　]
높은 공중

5 우리는 등산을 하다가 산의 경사면에 앉아서 잠시 쉬었다. ⇨ [　　]
비스듬히 기울어진 면

6 내가 아끼는 옷이 세탁 후 크기가 줄어들어 못 입게 되었다. ⇨ [　　]
더러운 옷 따위를 빠는 일

7 얼마나 피곤했던지 그는 지하철 좌석에 앉자마자 잠이 들었다. ⇨ [　　]

8 합쳐진 말 숯가마

둘 이상의 낱말을 더해 새로운 낱말을 만들 수 있어요. '숯가마'는 '숯'과 '가마'가 합쳐진 말이에요. 이렇게 낱말과 낱말이 합쳐진 말을 '합성어'라고 해요.

숯 + 가마 = **숯가마**
숯을 구워 내는 가마

✏️ 글자 카드를 왼쪽에서 하나, 오른쪽에서 하나씩 꺼내 뜻에 알맞은 낱말을 써 보세요.

자연 돌 솔 밭 물 창 국제	계단 밭 공항 작물 밖 환경 놀이

1 창문의 밖 ⇨ [　　　　]

2 돌로 쌓아 만든 층계 ⇨ [　　　　]

3 밭에서 거두는 농작물 ⇨ [　　　　]

4 물가나 물속에서 하는 놀이 ⇨ [　　　　]

5 소나무가 많이 들어서 있는 땅 ⇨ [　　　　]

6 자연계의 모든 요소가 이루는 환경 ⇨ [　　　　]

7 여러 나라의 비행기가 뜨고 내릴 수 있도록 나라에서 지정한 공항 ⇨

9 잘못 쓰기 쉬운 말 잔디

✏️ 밑줄 친 낱말을 알맞게 고쳐 써 보세요.

1 학교 운동장에 인공 <u>잔듸</u>를 깔았다. ⇨

2 북한산 서쪽 <u>기슥</u>에 진달래가 피었다. ⇨
산이나 처마 따위에서 경사진 곳의 아랫부분

3 밖을 내다보려고 창가에 <u>받짝</u> 다가앉았다. ⇨
매우 가까이 달라붙는 모양

4 청계천 <u>일때</u>는 축제를 즐기를 사람들로 붐빈다. ⇨
어느 지역의 전부

5 그는 친구들에게 인사도 없이 <u>호련히</u> 전학을 갔다. ⇨
뜻하지 아니하게 갑자기

6 희진이는 책을 읽으며 친구를 <u>느긋히</u> 기다리고 있다. ⇨
서두르지 않고 마음의 여유가 있게

7 소풍 전날은 <u>설레임</u>이 가득해서 잠이 잘 오지 않는다. ⇨
마음이 가라앉지 아니하고 들떠서 두근거림.

10 움직임을 나타내는 말 만끽하다

✏️ 밑줄 친 낱말의 알맞은 뜻을 찾아 번호를 써 보세요.

1 그녀는 휴가를 얻어 오랜만에 여유를 <u>만끽했다</u>. ( )

① 자기 것으로 하였다.
② 느낌이나 기분을 마음껏 즐겼다.

2 기차를 탈 때면 나는 창가 쪽 자리를 <u>선호한다</u>. ( )

① 여럿 가운데서 하나를 구별하여 고른다.
② 여럿 가운데서 특별히 가려서 좋아한다.

3 차창으로 들과 산의 모습이 <u>섞바뀌어</u> 나타났다. ( )

① 서로 번갈아 차례를 바뀌어
② 무엇이 다른 것이 되거나 혹은 다른 성질로 달라져

4 먼저 결승선에 들어오는 선수가 우승을 <u>차지한다</u>. ( )

① 물건, 일 따위를 남에게 주거나 맡긴다.
② 사물이나 공간, 지위 따위를 자기 몫으로 가진다.

5 벽에 걸려 있던 그림이 다른 그림으로 <u>교체되었다</u>. ( )

① 사람이나 사물이 다른 것으로 대체되었다.
② 잘못된 것이 바로잡히거나 다듬어져 바르게 고쳐졌다.

6 아픈 사람을 <u>제외한</u> 나머지는 모두 운동장을 달렸다. ( )

① 따로 떼어 내어 한데 헤아리지 아니한
② 어떤 무리나 범위에 함께 들어가게 하거나 함께 넣은

103

타교과 어휘 도덕

✏️ 빈칸에 알맞은 낱말을 써서 문장을 완성해 보세요.

1 만병의 | 그 | 원 |은 자신의 마음에 있다.
어떤 일이 생기게 되는 바탕이나 원인

2 호정이는 벅차오르는 | 가 | 즈 |을 좀처럼 누를 수가 없었다.
일이나 대상에 대하여 드는 마음이나 기분

3 성호는 음식에 너무 | 타 | 요 |을 부리다가 탈이 나고 말았다.
지나치게 많이 가지고 싶어 하는 욕심

4 찬영이의 거짓말이 선생님의 | ㄴ | 여 | 우 |을 사게 되었다.
몹시 불쾌하여 화가 난 감정

5 범인은 | 즈 | ㅇ | 시 |과 미안함 때문에 고개를 들지 못했다.
자신의 죄나 잘못에 대하여 스스로 느끼고 깨닫는 마음

6 기업은 다양한 소비자의 | 요 | ㄱ |를 만족시키기 위해 노력하고 있다.
어떤 것을 얻거나 어떤 일을 하고자 바라는 것

7 영수는 항상 자기가 어리석고 못났다는 | 여 | ㄷ | ㄱ |에 빠져 있었다.
자신이 남보다 뒤떨어졌다고 낮추어 평가하는 감정

⑧ 새 병원장의 [취][임]이 이제 일주일 앞으로 다가왔다.
새로 맡은 일을 하기 위해 맡은 자리에 처음으로 나아감.

⑨ 민수는 학급의 일에 항상 [적][극][적]으로 나선다.
어떤 일에 대한 태도가 자발적인 것

⑩ 그는 자신을 내쫓으려는 집주인에게 [자][비]를 구했다.
남을 깊이 사랑하고 불쌍하게 여겨서 베푸는 혜택

⑪ 정현이는 [조][심][성] 없이 덜렁거려서 툭하면 넘어지곤 한다.
말이나 행동 등에 주의하는 성질이나 태도

⑫ 그는 지금처럼 성공하기까지 실패로 인한 많은 [좌][절]을 겪었다.
마음이나 기운이 꺾임.

⑬ 다른 사람은 생각하지 않고 자기만 생각하는 것을 [경][계]해야 한다.
잘못된 행동이나 생각을 하지 않도록 주의함.

⑭ 같은 문제가 계속 발생하지 않도록 보다 [근][본][적] 대책이 필요하다.
어떤 것의 본질이나 바탕이 되는 것

어휘력을 높이는 확인 학습

다음 빈칸에 낱말을 넣어 문장을 완성하세요.

능선
산의 등줄기를 따라 죽 이어진 선
예 산의 ☐☐이 해안으로 내리뻗어 있다.

맵시
아름답고 보기 좋은 모양새
예 새로 산 옷을 입으니 제법 ☐☐가 난다.

웅장하다
크기가 무척 크고 무게가 있다.
예 그 절의 대웅전은 매우 화려하고 ☐☐했다.

기슭
산이나 처마 따위에서 경사진 곳의 아랫부분
예 지리산 북쪽 ☐☐에 철쭉꽃이 피기 시작했다.

견학
어떤 일과 관련된 곳을 실제로 찾아가서 보고 배움.
예 오늘 학교에서 도자기 박물관으로 ☐☐을 갔다.

휴양지
편안히 쉬면서 몸과 마음을 돌보기에 알맞은 곳
예 매년 휴가 때가 되면 ☐☐☐로 사람들이 몰린다.

선회
항공기가 곡선을 그리듯 진로를 바꿈.
예 북쪽을 향하던 전투기는 갑자기 동쪽으로 ☐☐했다.

홀연히
뜻하지 아니하게 갑자기
예 한동안 소식이 없던 그가 학교에 ☐☐☐ 나타났다.

국제공항

여러 나라의 비행기가 뜨고 내릴 수 있도록 나라에서 지정한 공항

예 외국을 나가려면 ☐☐☐☐☐으로 가야 한다.

근원

어떤 일이 생기게 되는 바탕이나 원인

예 생명의 ☐☐이 무엇인지는 아무도 알지 못한다.

관제탑

비행기가 뜨고 내리는 것을 지시하고 비행장 안을 통제하는 탑

예 기장은 ☐☐☐에 착륙하겠다는 신호를 보냈다.

만끽하다

느낌이나 기분을 마음껏 즐기다.

예 수현이는 방학을 맞아 오랜만에 여유를 ☐☐했다.

분화구

화산이 터질 때 용암과 화산 가스 따위를 내뿜는 구멍

예 화산이 폭발하며 ☐☐☐에서 용암이 솟아올랐다.

유적지

역사적 자취가 남은 장소

예 조상들의 생활상을 엿보기 위해 ☐☐☐를 찾았다.

취임

새로 맡은 일을 하기 위해 맡은 자리에 처음으로 나아감.

예 새 학기를 맞아 새로운 교장 선생님께서 ☐☐하셨다.

열등감

자신이 남보다 뒤떨어졌다고 낮추어 평가하는 감정

예 동생은 자신이 머리가 나쁘다는 ☐☐☐을 가지고 있다.

1 낱말의 짜임 1

'하늘'은 '하'와 '늘'로 나누면 더 이상 의미를 가지지 않아요. 하지만 '손수레'나 '풋사과'는 '손'과 '수레', '풋'과 '사과'로 나눠도 각각이 의미를 가지고 있어요.

하늘	손수레 = 손 + 수레	풋사과 = 풋- + 사과
나눌 수 없음.	나눌 수 있음.	나눌 수 있음.

✏️ 다음 낱말들을 나눌 수 없는 말과 나눌 수 있는 말로 나눠 써 보세요.

사과나무   풋사과   가위   손수레
하늘   햇밤   사자
복숭아   바다

나눌 수 없는 말	나눌 수 있는 말

더 알아두기

더 이상 나눌 수 없는 말을 '단일어'라고 하고, 나눠도 각각의 말이 의미를 지니고 있는 말을 '복합어'라고 해요.

2 낱말의 짜임 2

'눈사람'은 '눈'과 '사람'을 합한 말이고 '뛰놀다'는 '뛰다'와 '놀다'를 합한 말이에요. '맨손'은 '다른 것이 없는'의 뜻을 더하는 '맨-'과 뜻이 있는 낱말 '손'을 합한 말이에요.

눈사람 = **눈 + 사람**
낱말 + 낱말

뛰놀다 = **뛰다 + 놀다**
낱말 + 낱말

맨손 = **맨- + 손**
뜻을 더하는 말 + 낱말

✏️ 다음 낱말들을 '낱말 + 낱말'과 '뜻을 더해 주는 말+낱말'로 나눠 써 보세요.

| 눈사람 | 바늘방석 | 검붉다 | 잠꾸러기 |

덧신

김밥

나무꾼

새우잠

뛰놀다

맨손

낱말 + 낱말	뜻을 더해 주는 말 + 낱말

 더 알아두기

낱말과 낱말을 합한 것을 '합성어'라고 하고 뜻을 더해 주는 말과 뜻이 있는 낱말을 합한 것을 '파생어'라고 해요.

109

3 뜻을 더하는 말 햇-

'햇곡식'은 '당해에 새로 난 곡식'을 말해요.

$$햇곡식 = 햇- + 곡식$$

다음 뜻을 더하는 말의 알맞은 뜻을 찾아 연결하세요.

1 햇-
햇사과, 햇곡식, 햇감자

덜 익은

2 풋-
풋고추, 풋김치, 풋사과

그해에 난

3 -꾸러기
장난꾸러기, 잠꾸러기, 욕심꾸러기

다른 것이 없는

4 맨-
맨주먹, 맨손, 맨발

어린 또는 작은

5 애-
애벌레, 애송아지, 애호박

겹쳐 신거나 입는

6 덧-
덧버선, 덧신, 덧저고리

그것이 심하거나 많은 사람

4 움직임을 나타내는 말 값하다

🖉 밑줄 친 낱말의 알맞은 뜻을 찾아 번호를 써 보세요.

22일

⬤ 월

⬤ 일

1 그는 아름다운 그녀의 미모에 <u>취하고</u> 말았다.　　　　　（　　　）

　① 무엇이나 깊이 빠져 마음을 빼앗기고
　② 놀라거나 두려워서 기가 막히거나 풀이 꺾이고

2 다음 주는 내 생일이라 벌써부터 마음이 <u>들뜬다</u>.　　　（　　　）

　① 몹시 소란스럽고 어지러운 일이 가라앉는다.
　② 마음이나 분위기가 가라앉지 아니하고 조금 흥분된다.

3 내가 좋아하는 가수의 공연을 보니 감동이 <u>밀려왔다</u>.　（　　　）

　① 없던 것이 있게 되었다.
　② 한꺼번에 많이 몰려서 왔다.

4 그곳은 호텔이라는 이름에 <u>값하는</u> 호화로운 숙소였다.　（　　　）

　① 어떤 것의 가치에 맞는
　② 물건 따위가 상당히 가치가 있는

5 해가 지니 앞이 잘 보이지 않아 <u>하산할</u> 일이 막막했다.　（　　　）

　① 산에서 내려오거나 내려갈
　② 한곳을 중심으로 하여 모일

6 지난겨울에 다녀온 가족 여행의 기억을 그대로 <u>간직하고</u> 있다.　（　　　）

　① 거두어 모으고
　② 기억 따위를 마음속에 깊이 지니고

5 행동을 하게 하는 말 녹이다

✏️ 주어진 낱말을 참고하여 문장에 알맞은 낱말을 찾아 ○표 하세요.

1 녹다   징과 꽹과리는 쇠를 (녹여 / 녹혀) 만든 악기이다.

2 늘다   우리 동아리는 학생 수를 작년보다 (늘였다 / 늘렸다).

3 살다   수의사는 꺼져 가는 작은 생명을 (살려 / 살여) 냈다.

4 쓰다   장구는 나무통을 깎은 후 가죽을 (씌여 / 씌워) 만든다.

5 눕다   그가 잠든 아기를 조심스럽게 침대에 (누이다 / 뉘우다).

6 붙다   정아는 메모지를 책상에 덕지덕지 (붙여 / 붙혀) 두었다.

7 돋다   힘든 농사일에 흥을 (돋구기 / 돋우기) 위해 풍물놀이를 했다.

감정이 생겨나게 하기

112

6 주제별 어휘 1 음악

'음악'은 박자, 가락, 음성 따위의 형식으로 조화하고 결합하여, 목소리나 악기를 통하여 사상이나 감정을 나타내는 예술이에요.

빈칸에 알맞은 낱말을 [보기]에서 찾아 써 보세요.

보기

| 공명 | 공연 | 민요 | 선율 | 연주 | 장단 | 지휘자 |

1 동생은 [ ]에 맞추어 춤을 추었다.
춤, 노래 따위의 빠르기를 조절하는 박자

2 우리 [ ]에는 조상들의 숨결이 스며 있다.
예로부터 민중 사이에 불려 오던 전통적인 노래를 통틀어 이르는 말

3 음악가가 기타 줄을 튕기니 [ ]이 일어났다.
외부 음파에 자극을 받아 그와 같은 소리를 내는 것

4 시민 합창단은 [ ]의 손짓에 따라 노래를 불렀다.
노래나 연주를 앞에서 조화롭게 이끄는 사람

5 나는 어디선가 들려오는 피아노의 [ ]에 귀를 쫑긋했다.
소리의 높낮이가 길이나 리듬과 어울려 나타나는 음의 흐름

6 형은 여러 악기를 잘 다루지만 특히 드럼 [ ]에 능숙하다.
악기를 다루어 곡을 표현하거나 들려주는 일

7 다음 달에 예정되어 있는 [ ]을 위해 무용 연습을 매일 한다.
음악, 무용 따위를 많은 사람 앞에서 보이는 일

7 주제별 어휘 2 생물

'생물'은 '생명이 있는 동물과 식물'을 이르는 말이에요. 다양한 생물들은 일정한 지역이나 환경에서 서로 적응하고 관계를 맺으며 조화롭게 살아가요.

✏️ 빈칸에 알맞은 글자를 [보기]에서 찾아 밑줄 친 낱말을 완성해 보세요.

보기

| 깃 | 멸 | 생 | 식 | 연 | 토 | 표 |

1 ☐종 민들레가 점점 사라져 가고 있다.
원래부터 그곳에서 나는 종자
→ ☐ 종

2 ☐종 위기에 빠진 반달곰을 지켜야 한다.
생물의 한 종류가 아주 없어짐.
→ ☐ 종

3 속리산의 ☐대종은 하늘다람쥐이다.
어느 지역의 대표가 되는 동식물의 종
→ ☐ 대 종

4 어름치, 열목어 등은 1급수의 지☐종이다.
특정한 환경 조건을 나타내는 생물
→ 지 ☐ 종

5 숲이 파괴되면서 새들의 서☐지가 사라졌다.
생물 따위가 일정한 곳에 자리를 잡고 사는 곳
→ 서 ☐ 지

6 먹이가 부족하면 생물 간 ☐존 경쟁이 심해진다.
생물들이 살아남기 위해 서로 다투는 것
→ ☐ 존 경 쟁

7 두루미는 천☐기념물로 지정되어 있다.
자연 가운데 매우 중요하고 특수하여 법으로 정하여 보호하는 것
→ 천 ☐ 기 념 물

114

8 주제별 어휘 3 바람

'바람'은 '공기의 움직임'을 뜻하는 말이에요. 우리 조상들은 계절에 따라 바람을 구분했고, 바람이 강하고 약하게 부는 정도에 따라 바람의 이름을 여러 가지로 불렀어요.

23일

○ 월
○ 일

🖉 빈칸에 알맞은 낱말을 [보기]에서 찾아 써 보세요.

보기

| 남풍 | 동풍 | 된바람 | 실바람 | 노대바람 | 하늬바람 |

방향에 따라

- ☐ ⇨ 샛바람
- 서풍 ⇨ ☐
- ☐ ⇨ 마파람
- 북풍 ⇨ ☐

세기에 따라

- 약한 바람 ⇨ ☐
- 강한 바람 ⇨ ☐

115

9 성질이나 상태를 나타내는 말 광대하다

✏️ 빈칸에 들어갈 낱말을 [보기]에서 찾아 알맞게 활용하여 써 보세요.

보기

광대하다	그윽하다	묵직하다	우렁차다
탄탄하다	평온하다	청아하다	

1 축구 선수들은 몸의 근육이 매우 [   ].

무르거나 느슨하지 않고 아주 단단하고 굳세다.

2 아기가 잠든 얼굴이 아주 [   ] 보인다.

걱정이나 탈이 없고 조용해

3 [   ] 평원을 보니 가슴이 뻥 뚫리는 것 같다.

크고 넓은

4 공연이 끝나자 박수 소리가 [   ] 터져 나왔다.

소리의 울림이 매우 크고 힘차게

5 숲에서 꾀꼬리의 울음소리가 매우 [   ] 들려온다.

작은 흠도 없이 맑고 아름답게

6 이 상자는 보기에는 가벼워 보였는데 들어 보니 꽤 [   ].

다소 큰 물건이 보기보다 꽤 무겁다.

7 아버지의 친구분이 선물한 난은 맑고 [   ] 향기를 풍긴다.

주는 인상이나 느낌이 야단스럽지 않은

10 외래어 표기 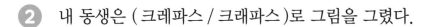에어컨

🖊️ 다음 문장에서 외래어의 알맞은 표기를 찾아 ○표 하세요.

24일

월

일

1 공원을 산책하다가 (밴치 / 벤치)에 앉아서 쉬었다.

2 내 동생은 (크레파스 / 크래파스)로 그림을 그렸다.

3 나는 해수욕장에서 (쥬브 / 튜브)를 타고 물놀이를 했다.

4 교실에 사람이 없을 때에는 (에어컨 / 에어콘)을 꺼야 한다.

5 날씨가 추울 때에는 (히터 / 히타)를 켜서 실내 온도를 높인다.

6 (디지털 / 디지탈) 카메라로 찍은 사진을 컴퓨터로 전송해서 보았다.

7 (내비게이션 / 네비게이션)은 목적지까지 30분이 걸린다고 안내했다.
찾고자 하는 위치의 지도를 안내하는 전자 장치

11 〔타교과 어휘〕 사회

✏️ 빈칸에 알맞은 낱말을 써서 문장을 완성해 보세요.

1 국가는 사회 복지의 ㅈ ㅈㅣ 을 위하여 힘써야 한다.
기운이나 세력 등이 점점 더 늘어 가고 나아감.

2 상품의 ㅇ 토 과정에서 파손된 물품은 교환할 수 있다.
상품이 생산자에게서 소비자에게로 전해지기까지의 활동

3 범인은 자신의 범행을 ㅇ ㅍ 하기 위해 거짓말을 하였다.
가려서 숨기거나 덮어서 감춤.

4 수업 분위기를 해치는 학생에게는 적절한 ㅈ ㅈ 가 필요하다.
규칙이나 관습을 지키지 않는 것을 제한하거나 금지함.

5 최 기자는 허위 사실을 ㅇ ㅍ 하여 유명 가수에게 고소를 당했다.
세상에 널리 퍼짐. 또는 세상에 널리 퍼뜨림.

6 그는 ㄷ ㄷ 에 어긋난 행동을 해서 많은 사람들에게 실망감을 주었다.
사회의 구성원들이 양심에 비추어 스스로 마땅히 지켜야 할 모든 규범

7 수철이는 ㄱ ㅇ 로 창문을 깬 것이 아니라 실수로 그런 것이라고 했다.
일부러 하는 생각이나 태도

⑧ 그는 절도죄로 징역 3년을 　서　　ㄱ　받았다.

법정에서 재판장이 판결을 알리는 일

⑨ 이 문제는 철저히 사실에 　이　　가　하여 판단해야 한다.

어떤 사실이나 주장 따위에 근거를 두어 그 입장에 섬.

⑩ 두 나라는 종교 문제로 인해 오랫동안 　부　　재　이 계속되었다.

말썽을 일으키어 시끄럽고 복잡하게 다툼.

⑪ 　ㅍ　　ㄱ　　ㅇ　은 재판에서 끝까지 자신의 잘못을 인정하지 않았다.

범죄를 저지른 것으로 의심이 되어 재판을 받는 사람

⑫ 그 학생은 시험 시간에 부정행위를 하다가 감독관에게 　저　　바　되었다.

숨겨져 있던 일이나 물건을 찾아 들추어냄.

⑬ 아무리 보아도 그의 행동에는 　부　　수　한 의도가 숨어 있는 것 같다.

딴 속셈이 있어 순수하거나 참되지 못함.

⑭ 정부는 중요 정책을 　구　　ㅁ　　ㅌ　　ㅍ　에 붙이기로 결정했다.

국가의 중요한 일을 국민이 최종적으로 투표해 결정하는 제도

119

다음 빈칸에 글자를 넣어 낱말을 완성하세요.

¹ [ ]곡식 — 그해에 난 곡식

² 돋[ ]다 — 감정이 생겨나게 하다.

³ 지[ ]종 — 특정한 환경 조건을 나타내는 생물

⁴ [ ]하다 — 무엇이나 깊이 빠져 마음을 빼앗기다.

⁵ 그[ ]하다 — 주는 인상이나 느낌이 야단스럽지 않은

⁶ 서[ ]지 — 생물 따위가 일정한 곳에 자리를 잡고 사는 곳

⁷ 공[ ] — 음악, 무용 따위를 많은 사람 앞에서 보이는 일

⁸ [ ]명 — 외부 음파에 자극을 받아 그와 같은 소리를 내는 것

⁹ 피[ ]인 — 범죄를 저지른 것으로 의심이 되어 재판을 받는 사람

¹⁰ 민[ ] — 예로부터 민중 사이에 불려 오던 전통적인 노래를 통틀어 이르는 말

정답 1. 햇 2. 우 3. 표 4. 취 5. 윽 6. 식 7. 연 8. 공 9. 고 10 요

8장

11 □바람	매우 약한 바람
12 마□람	'남풍'을 이르는 말
13 □종	원래부터 그곳에서 나는 종자
14 □아하다	작은 흠도 없이 맑고 아름답다.
15 깃□종	어느 지역의 대표가 되는 동식물의 종
16 □순	딴 속셈이 있어 순수하거나 참되지 못함.
17 장□	춤, 노래 따위의 빠르기를 조절하는 박자
18 유□	세상에 널리 퍼짐. 또는 세상에 널리 퍼뜨림.
19 □통	상품이 생산자에게서 소비자에게로 전해지기까지의 활동
20 선□	소리의 높낮이가 길이나 리듬과 어울려 나타나는 음의 흐름

정답 11. 실　12. 파　13. 토　14. 청　15. 대　16. 불　17. 단　18. 포　19. 유　20. 율

국어 교과서 270~295쪽

1 주제별 어휘 도자기

'도자기'는 흙을 반죽하여 모양을 만들고 말린 후 높은 열에 구워서 만든 그릇을 통틀어 이르는 말이에요. 우리나라의 도자기는 맑은 빛깔과 소박한 모양이 특징이에요.

빈칸에 알맞은 낱말을 [보기]에서 찾아 써 보세요.

보기

| 꽃병 | 도공 | 연적 | 유약 | 청자 | 향로 | 항아리 |

① 꽃을 꽂는 병 ⇒ ☐

② 푸른 빛깔의 자기 ⇒ ☐

③ 향을 피우는 자그마한 그릇 ⇒ ☐

④ 아래위가 좁고 배가 부른 질그릇 ⇒ ☐

⑤ 옹기 만드는 일을 직업으로 하는 사람 ⇒ ☐

⑥ 도자기의 겉면에 빛이 나도록 바르는 약 ⇒ ☐

⑦ 벼루에 먹을 갈 때 쓰는, 물을 담아 두는 그릇 ⇒ ☐

2 성질이나 상태를 나타내는 말 독특하다

✏️ 밑줄 친 부분을 한 낱말로 바꿔 써 보세요.

1 새겨진 무늬가 <u>특별하게 다르다</u>. ⇒ ㄷ ㅌ 하 다

2 유리컵이 <u>속까지 환히 비치도록 맑다</u>. ⇒ ㅌ ㅁ 하 다

3 고양이의 털이 <u>거칠거나 뻣뻣하지 아니하다</u>. ⇒ ㅂ ㄷ 럽 다

4 솜씨가 <u>남보다 월등히 훌륭하거나 앞서 있다</u>. ⇒ ㄸ ㅇ 나 다

5 항아리의 곡선이 <u>거침없이 미끈하고 아름답다</u>. ⇒ ㅇ 려 하 다

6 마루가 아주 <u>저절로 밀리어 나갈 정도로 반드럽다</u>. ⇒ ㅁ ㄲ 럽 다

7 도자기의 빛깔이 <u>뚜렷하지 아니하고 어슴푸레하며 흐릿하다</u>. ⇒ ㅇ ㅇ 하 다

123

3 헷갈리기 쉬운 말 빗다/빚다

🖊 다음 문장에 알맞은 낱말을 찾아 ○표 하세요.

빗다	머리털을 빗 따위로 가지런히 고르다.
빚다	흙 따위의 재료를 이겨서 어떤 형태를 만들다.

1 흙으로 도자기를 (빗었다 / 빚었다).

2 도공이 흙으로 독을 (빗고 / 빚고) 있다.

3 언니는 빗으로 머리를 곱게 (빗었다 / 빚었다).

4 헝클어진 머리를 손으로 (빗어 / 빚어) 내렸다.

비치다	빛이 나서 환하게 되다.
비추다	빛을 받게 하거나 빛이 통하게 하다.

5 전등에 필름을 (비치어 / 비추어) 보았다.

6 어둠 속에 달빛이 환히 (비추고 / 비치고) 있다.

7 검사를 위해 엑스선에 가슴을 (비치었다 / 비추었다).

짓다	재료를 들여 밥, 옷, 집 따위를 만들다.
짙다	보통 정도보다 빛깔이 강하다.

⑧ 평소보다 일찍 아침을 (짓다 / 짙다).

⑨ 오늘따라 유난히 배우의 분장이 (짓다 / 짙다).

⑩ 앞마당에 어미 강아지가 지낼 집을 (짓다 / 짙다).

⑪ 비가 갠 후 드러난 무지개의 색이 (짓다 / 짙다).

띠다	보통 정도보다 빛깔이 강하다.
띄다	'눈에 보이다.', '남보다 훨씬 두드러지다.'라는 뜻의 '뜨이다'의 준말

⑫ 튤립이 붉은 빛을 (띠다 / 띄다).

⑬ 도자기가 푸른 빛을 (띄다 / 띠다).

⑭ 길가에 핀 하얀 꽃이 눈에 (띠다 / 띄다).

⑮ 주차장에 세워진 빨간 자동차가 눈에 (띄다 / 띠다).

4 뜻을 더하는 말 –관, –점

'–관'은 '건물' 또는 '기관'의 뜻을 더하는 말이고 '–점'은 '가게' 또는 '상점'의 뜻을 더하는 말이에요.

미술관	음식점
미술품을 전시하는 시설	음식을 파는 가게

🖊 '관' 또는 '–점'을 활용하여 주어진 뜻에 알맞은 낱말을 빈칸에 써 보세요.

1 음식을 파는 가게 ⇨ ☐☐☐

2 미술품을 전시하는 시설 ⇨ ☐☐☐

3 양복을 만들거나 파는 가게 ⇨ ☐☐☐

4 영화를 상영하는 시설을 갖춘 건물 ⇨ ☐☐☐

5 할인된 상품만을 전문적으로 판매하는 가게 ⇨ ☐☐☐

6 여러 가지 상품을 종류에 따라 나누어 벌여 놓고 파는 큰 상점 ⇨ ☐☐☐

7 유물, 예술품 등을 수집, 전시하여 사람들의 연구와 교육을 돕는 시설 ⇨ ㅂ ㅁ ☐

S 십자말풀이

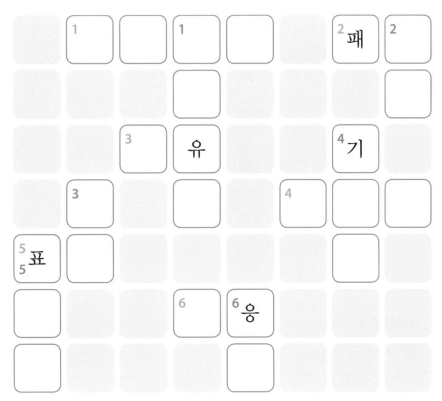

가로 열쇠

1. 그 나라에서 생겨나 전해 내려오는 그 나라의 문화
2. 어떤 어려운 일이라도 해내려는 굳센 정신
3. 본래부터 가지고 있는 특별한 것
4. 예술의 특성을 지닌. 또는 그런 것. ○○적
5. 무엇을 나타내 보이는 일정한 방식
6. 어떤 일이나 상황에 알맞게 행동을 함.

세로 열쇠

1. 앞의 세대에게서 물려받은 가치 있는 문화적 재산
2. 기교를 나타내는 방법
3. 아름답게 꾸밈. 또는 꾸미는 데 쓰이는 물건
4. 인간에게 유용한 것을 개발하거나 처리하고 문제를 해결하는 능력
5. 조롱박이나 둥근 박을 반으로 쪼개서 만든 작은 바가지
6. 어떤 이론이나 지식을 구체적인 일이나 다른 분야에 알맞게 맞추어 이용함.

6 뜻이 여러 가지인 말 높다

'높다'는 '길이가 길다.', '수치가 위에 있다.', '수준 따위가 보통보다 위에 있다.' 등의 다양한
의미를 가지고 있어요.

밑줄 친 낱말의 의미가 같은 문장끼리 연결하세요.

1 기온이 <u>높아</u> 불쾌하다.
수치로 나타낼 수 있는 것이 기준치보다 위에 있다.

언니는 수학 성적이 <u>높다</u>.

2 아빠의 회사는
건물이 매우 <u>높다</u>.
아래에서 위까지 길이가 길다.

이모는 굽이 <u>높은</u>
구두만 신는다.

3 이 물건은 질이 <u>높아</u>
판매가 잘 된다.
품질, 수준, 능력, 가치 따위가 보통보다 위에 있다.

비가 와서 습도가 <u>높아</u>
빨래가 잘 안 마른다.

4 발자국이 찍힌 채
시멘트가 <u>굳었다</u>.
무른 물질이 단단하게 되다.

표정이 돌처럼
<u>굳어</u> 버렸다.

5 내가 친구를 놀리니
친구의 얼굴이 <u>굳었다</u>.
표정이나 태도 따위가 딱딱하여지다.

고기에서 나온 기름이
하얗게 <u>굳었다</u>.

6 할머니는 일을 많이
하셔서 허리가 <u>굳으셨다</u>.
근육이나 뼈마디가 뻣뻣하게 되다.

할아버지는 관절이 <u>굳어</u>
걷기가 불편하다고
말씀하셨다.

7 올바른 발음 발달[발딸]

한자어에서 'ㄹ' 받침 뒤에 연결되는 'ㄷ, ㅅ, ㅈ'은 된소리로 소리가 나서 '[ㄸ], [ㅆ], [ㅉ]'로 소리가 나요.

기술의 **발달[발딸]**
한자어

🖊 밑줄 친 낱말의 알맞은 발음을 찾아 ○표 하세요.

1 소금은 물에 잘 녹는 <u>물질</u>이다.
공간의 일부를 차지하고 질량을 갖는 요소   ⇨   [물질]   [물찔]

2 해녀가 바다로 <u>물질</u>을 하러 간다.
해녀들이 바닷속에 들어가서 해산물을 따는 일   ⇨   [물질]   [물찔]

3 달리기를 하니 몹시 <u>갈증</u>이 났다.   ⇨   [갈증]   [갈쯩]

4 기술의 <u>발달</u>로 생활이 편리해졌다.   ⇨   [발달]   [발딸]

5 아이들이 몰래 <u>불장난</u>을 하고 있었다.   ⇨   [불장난]   [불짱난]

6 <u>절도</u>를 저지른 범인이 경찰에게 잡혔다.   ⇨   [절도]   [절또]

7 소방관들은 신고가 들어오자마자 <u>출동</u>한다.   ⇨   [출동]   [출똥]

8 활용형

낱말이 활용을 할 때 일정하게 활용을 하는 말과 보통과는 다르게 활용을 하는 말이 있어요. 'ㅅ'이 받침인 말은 '웃다/웃어'처럼 활용을 하지만 예외로 '잇다/이어'와 같이 'ㅅ'이 탈락하는 경우가 있어요.

웃다 → 웃고, 웃어…
규칙적으로 활용

잇다 → 잇고, 이어…
불규칙하게 활용

🖊 낱말의 알맞은 활용형을 찾아 ○표 하세요.

1 붓다 ⇨ 국에 물을 더 (부어 / 붓어) 끓였다.

2 잇다 ⇨ 종이 두 장을 (이어 / 잇어) 붙였다.

3 낫다 ⇨ 수정이는 병이 (나아 / 낫아) 퇴원을 한다.

4 벗다 ⇨ 집에 와서 옷을 (버어 / 벗어) 옷걸이에 걸었다.

5 짓다 ⇨ 강아지 이름을 복덩이라고 (지어 / 짓어) 주었다.

6 씻다 ⇨ 여행은 당신의 걱정을 깨끗이 (씨서 / 씻어) 줄 것입니다.

130

9 순화어

'순화어'는 지나치게 어렵거나 규범에 맞지 않는 말, 또는 외래어를 대신해서 쓸 수 있도록 다듬은 말이에요. '바코드, 플래카드, 게시판, 큐아르 코드' 따위는 각각 '막대 표시, 현수막, 알림판, 정보 무늬' 따위로 순화해서 써요.

✏️ 다음 그림에 알맞은 말을 [보기]에서 찾아 써 보세요.

보기

| 알림판 | 현수막 | 막대 표시 | 정보 무늬 |

1

상품의 포장이나 꼬리표에
표시된 검고 흰 줄무늬

2

긴 천에 글 따위를 적어
내걸거나 늘어뜨린 천

3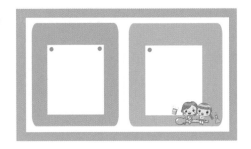

알릴 내용을 내붙이거나 내걸어
두루 보게 붙이는 판

4

흑백의 네모꼴의 그림으로
여러 가지 정보를 나타내는 표식

타교과 어휘 과학

주어진 뜻에 알맞은 낱말을 찾아 ○표 하세요.

1 현미경에서 관찰 재료를 얹어 놓는 평평한 대 ⇨ 재물대　재물판

2 하나의 세포로 이루어진 생물을 통틀어 이르는 말 ⇨ 원형생물　원생생물

3 광합성을 하지 않는 하등 식물을 통틀어 이르는 말 ⇨ 균류　균종

4 현미경, 망원경 따위에서 물체에 가까운 쪽의 렌즈 ⇨ 대물렌즈　대안렌즈

5 현미경이나 망원경에서 눈으로 보는 쪽의 렌즈 ⇨ 접안렌즈　접점렌즈

6 몸속에 들어간 병균이나 바이러스로 인해 폐에 생기는 염증 ⇨ 폐염　폐렴

7 식물이 암수가 결합하지 않는 방식으로 번식하기 위해 만들어 내는 생식 세포 ⇨ 포자　모포

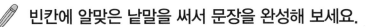 **빈칸에 알맞은 낱말을 써서 문장을 완성해 보세요.**

1 남해안의 | 저 | ㅈ |가 예상외로 아주 오래갔다.
미생물의 번식으로 바닷물이 붉게 물들어 보이는 현상

2 세균이 | ㅂ | 야 |되어 그 수가 몇 배나 늘어나게 되었다.
세포나 균 따위를 인공적으로 가꾸어 기름.

3 습기가 많은 곳에서는 곰팡이가 쉽게 | 버 | ㅅ |한다.
생물체의 수나 양이 늘어서 많이 퍼짐.

4 물을 수소와 산소로 | 부 | ㅎ |하면 수소를 얻어 낼 수 있다.
어떤 부분으로 이루어진 것을 그 부분이나
성분으로 따로따로 나눔.

5 현미경을 통해 눈으로는 볼 수 없는 | ㅁ | 새 | ㅁ |을 관찰했다.
맨눈으로 볼 수 없는 아주 작은 생물

6 | ㅂ | 유 |이 높은 현미경을 사용하면 더 작은 물체도 관찰할 수 있다.
거울, 렌즈, 망원경, 현미경 등을 통하여 보이는
물체의 크기와 실제 크기의 비율

7 | 서 | ㅈ | ㄱ |에 있는 아이들은 뭐든지 잘 먹고 적당한 운동을 해야 한다.
성장하는 시기

133

다음 빈칸에 낱말을 넣어 문장을 완성하세요.

향로
향을 피우는 자그마한 그릇
예) 그는 향을 피워 ☐☐에 꽂았다.

비치다
빛이 나서 환하게 되다.
예) 어둠 속에 환한 달이 ☐☐☐.

폐렴
몸속에 들어간 병균이나 바이러스로 인해 폐에 생기는 염증
예) 독감은 심각한 ☐☐을 유발하기도 한다.

띠다
보통 정도보다 빛깔이 강하다.
예) 봄에 피는 목련이 분홍빛을 ☐☐.

유려하다
거침없이 미끈하고 아름답다.
예) 추사 김정희의 글씨체는 매우 ☐☐☐☐.

기법
기교를 나타내는 방법
예) 상감 청자는 상감법이라는 독특한 ☐☐으로 만들어졌다.

배양
세포나 균 따위를 인공적으로 가꾸어 기름.
예) 세균을 ☐☐하는 실험을 할 때는 각별히 주의해야 한다.

연적
벼루에 먹을 갈 때 쓰는, 물을 담아 두는 그릇
예) 아버지가 붓글씨에 사용하시던 ☐☐은 매우 귀한 것이다.

전통문화

그 나라에 생겨나 전해 내려오는 그 나라의 문화

예 ☐☐☐☐에는 조상들의 얼이 담겨 있다.

은은하다

뚜렷하지 아니하고 어슴푸레하며 흐릿하다.

예 옷에 향수를 뿌리자 ☐☐한 향기가 났다.

패기

어떤 어려운 일이라도 해내려는 굳센 정신

예 무슨 일이든 해내려면 ☐☐가 있어야 한다.

현수막

긴 천에 글 따위를 적어 내걸거나 늘어뜨린 천

예 학교에 학생들을 응원하는 ☐☐☐이 걸렸다.

적조

미생물의 번식으로 바닷물이 붉게 물들어 보이는 현상

예 바다에 ☐☐가 발생하면 어패류가 해를 입는다.

유약

도자기 겉면에 빛이 나도록 바르는 약

예 초벌한 도자기 겉면에 ☐☐을 발라 가마에 넣었다.

번식

생물체의 수나 양이 늘어서 많이 퍼짐.

예 젖은 신발은 잘 말려야 세균의 ☐☐을 막을 수 있다.

문화유산

앞의 세대에게서 물려받은 가치 있는 문화적 재산

예 우리 조상은 후손에게 찬란한 ☐☐☐☐을 남겼다.

135

10장 주인공이 되어

1 흉내 내는 말 느물느물

✏️ 밑줄 친 부분의 글자 순서를 바르게 고쳐 써 보세요.

1 철수는 <u>뚱멀뚱멀</u> 나를 쳐다보았다.
눈빛이나 정신 따위가 멍청하고 생기가 없는 모양
⇒ [   ]

2 <u>쭈물우물</u> 망설이지만 말고 말을 해 봐.
행동 따위를 자꾸 망설이며 몹시 흐리멍덩하게 하는 모양
⇒ [   ]

3 친구가 <u>글글싱싱</u> 웃으며 나를 반긴다.
눈과 입을 슬며시 움직이며 소리 없이 정답게 자꾸 웃는 모양
⇒ [   ]

4 시험이 다가오자 가슴이 <u>바짝짝바</u> 탔다.
자꾸 매우 긴장하거나 힘주는 모양
⇒ [   ]

5 나는 장난처럼 말하면서 <u>물물느느</u> 웃었다.
행동이나 말을 자꾸 능글맞게 하는 모양
⇒ [   ]

6 나는 겨우 화를 참으며 몸을 <u>르부르</u> 떨었다.
크고 가볍게 떠는 모양
⇒ [   ]

7 언니는 할머니가 주는 사탕을 <u>름름널널</u> 받았다.
무엇을 자꾸 빠르게 받아 가지는 모양
⇒ [   ]

2 꾸며 주는 말 나지막이

🖊 빈칸에 알맞은 낱말을 [보기]에서 찾아 써 보세요.

보기

하필   이따금   나지막이   일찌감치   틀림없이   하마터면   한결같이

① [   ] 소풍을 가는 날 비가 오다니.
다른 방법으로 하지 아니하고 어찌하여 꼭

② 남이 듣지 못할 만큼 [   ] 이야기했다.
소리가 꽤 낮게

③ 아침을 [   ] 먹고 서둘러 집을 나섰다.
조금 이르다고 할 정도로 얼른

④ 이번에는 우리 팀이 [   ] 우승할 것이다.
조금도 어긋나는 일 없이

⑤ 늦잠을 자는 바람에 [   ] 지각을 할 뻔했다.
조금만 잘못하였더라면

⑥ 나는 심심할 때면 [   ] 공원으로 산책을 간다.
얼마쯤씩 있다가 가끔

⑦ 모두들 그에 대한 믿음만은 [   ] 흔들리지 않았다.
처음부터 끝까지 변함없이 꼭 같이

3 뜻을 더하는 말 –거리다

'–거리다'는 '그런 상태가 잇따라 계속됨.'의 뜻을 더하고 움직임을 나타내는 말을 만드는 말이에요.

🖉 [보기]의 글자 카드를 사용하여 문장 안의 낱말을 완성해 보세요.

보기

| 간 | 질 | | 긁 | 적 | | 빈 | 정 |
| 수 | 군 | | 울 | 렁 | | 투 | 덜 |

❶ 다른 사람의 말을 ☐ ☐ 거 리 다 .
남을 은근히 비웃는 태도로 자꾸 놀리다.

❷ 일이 잘 풀리지 않아 ☐ ☐ 거 리 다 .
알아듣기 어려울 정도의 낮은 목소리로 자꾸 불평을 하다.

❸ 기침이 나오려고 목구멍이 ☐ ☐ 거 리 다 .
간지러운 느낌이 자꾸 들다.

❹ 삼삼오오 모여 자기네끼리 ☐ ☐ 거 리 다 .
남이 알아듣지 못하도록 낮은 목소리로 자꾸 이야기하다.

❺ 갑작스러운 질문에 당황해 머리를 ☐ ☐ 거 리 다 .
손톱이나 뾰족한 기구로 바닥이나 거죽을 자꾸 문지르다.

❻ 차를 오랫동안 타니 멀미가 나서 속이 ☐ ☐ 거 리 다 .
속이 메스꺼워 자꾸 토할 것 같아지다.

4 자주 쓰는 말 눈치를 보다

🖊 빈칸에 알맞은 말을 [보기]에서 찾아 써 보세요.

보기

뒤를 잇다	혀를 차다	눈치를 보다	뜸을 들이다
몸살을 앓다	열을 올리다	고개를 끄덕이다	

1 비밀을 말하기 전에 _____.

일이나 말을 할 때에, 한동안 가만히 있는
경우를 비유적으로 이르는 말

2 아이들의 싸움을 보며 _____.

마음이 언짢거나 유감의 뜻을 나타내다.

3 서영이가 전학을 간 부반장의 _____.

사람이 가문의 대나 직위의 뒤를 이어가다.

4 반장의 말에 반 친구들이 _____.

옳다거나 좋다는 뜻으로 고개를 위아래로 흔들다.

5 컴퓨터 게임을 하고 싶어서 엄마의 _____.

남의 마음과 태도를 살피다.

6 쓰레기 처리 문제로 동네 주민들이 _____.

어떤 일로 인하여 고통을 겪다.

7 한 표라도 더 받기 위해 선거 운동에 _____.

무엇에 열중하거나 열성을 보이다.

139

5 띄어쓰기 보다

'보다'가 '앞말을 시험 삼아 함.'을 나타내는 말일 때는 앞말과 띄어 쓰는 것이 원칙이고, 붙여 쓰는 것도 허용해요. 그러나 '몰라보다'처럼 다른 말에 붙어 한 낱말로 쓰일 때에는 항상 붙여 써야 해요.

새로운 음식을 **먹어 보다**.
앞말을 도와주는 말

친구를 **몰라보다**.
하나의 낱말

✎ 다음 문장을 주어진 횟수에 따라 바르게 띄어 써 보세요.

① 책을대강훑어보다. (2회)

책	을												

② 반장선거에나가보다. (3회)

반	장												

③ 밤하늘의달을쳐다보다. (2회)

밤	하	늘	의										

④ 친구의변명을들어보다. (3회)

친	구	의												

⑤ 친구가만든빵을먹어보다. (4회)

친	구	가												

⑥ 어제새로산옷을입어보다. (5회)

어	제													

⑦ 나를부르는소리에뒤돌아보다. (3회)

나	를													

6 줄여 쓰는 말 얘기

✏️ 밑줄 친 낱말의 알맞은 준말을 찾아 ○표 하세요.

1 머리카락이 비에 젖어 축축하다. ⇒ 머리칼 　 멀카락

2 일이 너무 많아서 잠시도 쉴 겨를이 없다. ⇒ 곌 　 곁

3 어제 무슨 일이 있었는지 이야기 좀 해 봐. ⇒ 얘기 　 예기

4 친한 친구가 전학을 가니 마음이 좋지 않다. ⇒ 맴 　 맘

5 초콜릿을 입에 가만히 넣고 있으면 저절로 녹는다. ⇒ 절로 　 젤로

6 방문을 여는 소리가 잘가닥 나더니 동생이 들어 왔다. ⇒ 잘각 　 잘닥

7 그는 키도 크고 공부도 잘해서 시새움을 많이 받 는다. ⇒ 시셈 　 시샘

7 움직임을 나타내는 말 도맡다

✏️ 밑줄 친 낱말의 알맞은 뜻을 찾아 번호를 써 보세요.

1 선생님께서 교실을 이리저리 둘러보셨다.　　　　　　　　(　　)

　　① 주의 깊게 잘 살펴보셨다.
　　② 주위를 이리저리 두루 살펴보셨다.

2 학생들이 학교 행사를 준비하느라 몹시 분주하다.　　　　(　　)

　　① 몹시 바쁘게 뛰어다니다.
　　② 번거롭게 뒤섞여 어수선하다.

3 갑작스러운 질문에 어떻게 대답할지 망설이고 있었다.　　(　　)

　　① 침착하지 못하고 서두르고
　　② 이리저리 생각만하고 태도를 결정하지 못하고

4 준수는 어려운 일들을 도맡게 되었다.　　　　　　　　　(　　)

　　① 갑작스럽게 하거나 몹시 서두르게
　　② 혼자서 책임을 지고 몰아서 모든 것을 돌보거나 해내게

5 대화 중에 갑자기 끼어드는 것은 잘못된 행동이다.　　　(　　)

　　① 하던 일을 하지 아니하게 되거나 멈추게 되는
　　② 자기 순서나 자리가 아닌 틈 사이를 비집고 들어서는

6 그는 아이에게 자꾸 떼를 쓰면 경찰을 부른다고 을러댔다.　(　　)

　　① 무서운 말이나 행동으로 남을 억눌렀다.
　　② 다른 사람이 하고자 하는 어떤 행동을 못하게 방해했다.

8 바꿔 쓸 수 있는 말 말투

🖉 밑줄 친 낱말과 바꿔 쓸 수 있는 낱말을 [보기]에서 찾아 써 보세요.

보기

덕분	뜻밖	말씨	사방	신망	뒤통수	말다툼

① 우리 선생님은 <u>말투</u>가 상냥하시다.
말을 하는 버릇이나 형식
⇨ ☐

② 사소한 일로 친구와 <u>말싸움</u>을 했다.
말로 옳고 그름을 가리는 다툼
⇨ ☐

③ 준영이가 상을 받는 것이 <u>의외</u>이다.
전혀 생각이나 예상을 하지 못함.
⇨ ☐

④ 네 <u>덕택</u>에 일을 쉽게 할 수 있었어.
베풀어 준 은혜나 도움
⇨ ☐

⑤ 오빠는 부끄러울 때면 <u>뒷머리</u>를 긁는다.
머리의 뒷부분
⇨ ☐

⑥ 그는 책임감이 강해서 사람들의 <u>신임</u>을 받았다.
믿고 일을 맡김. 또는 그 믿음
⇨ ☐

⑦ 소문을 듣고 <u>도처</u>에서 많은 사람들이 몰려왔다.
동, 서, 남, 북 네 방위를 통틀어 이르는 말
⇨ ☐

9 헷갈리기 쉬운 말 아니오/아니요

'아니요'는 대답할 때 쓰는 말로 '예'와 대응되는 말이고, '아니오'는 '아니다'의 활용형이에요. 한편, '-요'는 어떤 사물이나 사실 따위를 열거할 때 쓰이는 말이에요.

아니요, 제가 안 그랬어요.	이것은 책이 **아니오**.	이것은 말이 **아니요**, 소이다.

✎ 다음 문장에 어울리는 낱말을 찾아 ○표 하세요.

① 이것은 내 것이 (아니오 / 아니요).

② 나는 이 집에 사는 사람이 (아니오 / 아니요).

③ 우리는 형제가 (아니오 / 아니요), 친구랍니다.

④ (아니오 / 아니요), 저는 아침을 안 먹었습니다.

⑤ 이것은 복숭아가 (아니오 / 아니요), 자두입니다.

⑥ (아니오 / 아니요), 저는 이 학교 학생이 아니에요.

⑦ 나는 당신이 생각하는 그런 사람이 (아니오 / 아니요).

10 뜻을 보충하는 말 버리다

✏️ 빈칸에 알맞은 낱말을 찾아 연결하고, 바르게 써 보세요.

1 공이 골대를 맞고 튕겨
[　　　].

앞말이 뜻하는 행동을 계속 진행함을 나타내는 말

보다

2 도둑놈을 혼쭐내서 쫓아
[　　　].

앞말이 나타내는 행동이 이미 끝났음을 나타내는 말

대다

3 그의 실수를 자꾸 놀려
[　　　].

앞말이 뜻하는 행동을 반복하거나 그 행동의
정도가 심함을 나타내는 말

나가다

4 잘난 것도 없으면서 잘난
[　　　].

앞말이 뜻하는 행동이나 상태를 거짓으로
그럴듯하게 꾸밈을 나타내는 말

척하다

5 시끄러운 소리가 나서
밖에 나가 [　　　].

어떤 행동을 시험 삼아 함을 나타내는 말

버리다

145

11 타교과 어휘 도덕

✎ 빈칸에 알맞은 낱말을 써서 문장을 완성해 보세요.

1 영란이는 성격이 밝고 | 며 | ㄹ | 해서 인기가 많다.
유쾌하고 활발함.

2 우리는 모두 한마음으로 힘을 합쳐 어려움을 | ㄱ | 보 | 했다.
나쁜 조건이나 힘든 일 등을 이겨 냄.

3 희정이는 사고 | 후 | ㅇ | ㅈ | 으로 손가락이 잘 접히지 않는다.
어떤 병을 앓고 난 뒤에도 남아 있는 증상

4 진정한 친구는 친구가 잘 되는 것을 | 시 | ㄱ | 하지 않고 응원한다.
남이 잘되는 것을 싫어하여 미워함.

5 | 화 | ㄱ | 차 | 하루를 보내기 위해 일찍 일어나 가벼운 운동을 하였다.
힘이 넘치고 생기가 가득한

6 자신에게 주어진 | 이 | ㅁ | 를 성실히 하다 보면 좋은 결과가 있을 것이다.
맡은 일. 또는 맡겨진 일

7 수아는 계속 시험에서 떨어지자 자기 능력에 대한 | 호 | ㅇ | 가 | 이 들었다.
의심이 드는 느낌

146

8 그녀는 친구에게 주변 사람들에 대한 ㅂ ㄴ 을 늘어놓았다.

다른 사람의 잘못이나 결점에 대하여 나쁘게 말함.

9 선생님께서는 모든 학생들을 언제나 ㅇ ㅇ 하게 대하신다.

성격, 태도 따위가 온화하고 부드러움.

10 ㅊ ㄷ 에 따라 행동을 하는 것은 후회를 불러일으킬 수 있다.

순간적으로 어떤 행동을 하고 싶다고 느끼는 마음

11 다른 사람의 ㅇㅑ ㅈ 을 꼬집어서 놀리는 것은 잘못된 행동이다.

다른 사람에 비해 부족해서 불리한 점

12 나는 토요일마다 봉사 활동을 하면서 매우 큰 ㅂ ㄹ 을 느낀다.

어떤 일을 한 뒤에 얻어지는 좋은 결과나 만족감

13 내가 실수를 했을 때 "괜찮아"라는 엄마의 말이 큰 ㅇ ㄹ 가 되었다.

따뜻한 말이나 행동 따위로 괴로움을
덜어 주거나 슬픔을 달래 줌.

14 도서관에서 다른 사람의 공부에 ㅂㅏ ㅎ 가 될까 봐 책장을 조용히 넘겼다.

일이 제대로 되지 못하도록 끼어들고 막음.

다음 빈칸에 글자를 넣어 낱말을 완성하세요.

¹ 이 ☐ 금 ▷ 얼마쯤씩 있다가 가끔

² 하마 ☐ 면 ▷ 조금만 잘못하였더라면

³ ☐ 외 ▷ 전혀 생각이나 예상을 하지 못함.

⁴ 을 ☐ 대다 ▷ 무서운 말이나 행동으로 남을 억누르다.

⁵ ☐ 유증 ▷ 어떤 병을 앓고 난 뒤에도 남아 있는 증상

⁶ 하 ☐ ▷ 다른 방법으로 하지 아니하고 어찌하여 꼭

⁷ 멀 ☐ 멀 ☐ ▷ 눈빛이나 정신 따위가 멍청하고 생기가 없는 모양

⁸ ☐ 동 ▷ 순간적으로 어떤 행동을 하고 싶다고 느끼는 마음

⁹ 수 ☐ 거리다 ▷ 남이 알아듣지 못하도록 낮은 목소리로 이야기하다.

¹⁰ ☐ 맡다 ▷ 혼자서 책임을 지고 몰아서 모든 것을 돌보거나 해내다.

정답 1. 따   2. 터   3. 의   4. 러   5. 후   6. 필   7. 뚱, 뚱   8. 충   9. 군   10. 도

148

¹¹나 □ 막 □	소리가 꽤 낮게
¹²회 □ 감	의심이 드는 느낌
¹³□ 택	베풀어 준 은혜나 도움
¹⁴분 □ 하다	몹시 바쁘게 뛰어다니다.
¹⁵□ 임	믿고 일을 맡김. 또는 그 믿음
¹⁶한 □ 같다	처음부터 끝까지 변함없이 꼭 같다.
¹⁷온 □	성격, 태도, 따위가 온화하고 부드러움.
¹⁸□ 물 □ 물	행동이나 말을 자꾸 능글맞게 하는 모양
¹⁹빈 □ 거리다	남을 은근히 비웃는 태도로 자꾸 놀리다.
²⁰□ 처	동, 서, 남, 북 네 방위를 통틀어 이르는 말

정답 11. 지, 이   12. 의   13. 덕   14. 주   15. 신   16. 결   17. 유   18. 느, 느   19. 정   20. 도

MEMO

MEMO

MEMO

미래를 생각하는
(주)이룸이앤비

이룸이앤비는 항상 꿈을 갖고 무한한 가능성에 도전하는 수험생 여러분과 함께 할 것을 약속드립니다.
수험생 여러분의 미래를 생각하는 이룸이앤비는 항상 새롭고 특별합니다.

내신·수능 1등급으로 가는 길
이룸이앤비가 함께합니다.

http://www.erumenb.com

| 이룸이앤비 | |

인터넷 서비스

- 이룸이앤비의 모든 교재에 대한 자세한 정보
- 각 교재에 필요한 듣기 MP3 파일
- 교재 관련 내용 문의 및 오류에 대한 수정 파일

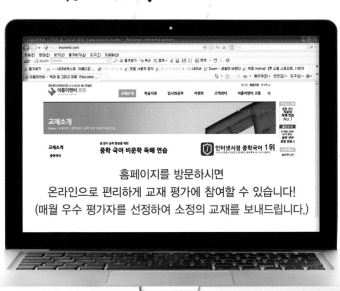

홈페이지를 방문하시면
온라인으로 편리하게 교재 평가에 참여할 수 있습니다!
(매월 우수 평가자를 선정하여 소정의 교재를 보내드립니다.)

글 읽기 능력이 향상되면
모든 공부의 **차신감**도 **향상**됩니다.

숨마어린이
초등국어 **독해왕** 시리즈
1단계/2단계/3단계/4단계/5단계/6단계 (전 6권)

다양한 글들을
쉽고 재미있게
공부하다 보면
독해왕이 됩니다!!!

숨마 어린이®

초등국어 어휘력 향상을 위한

어휘왕

5-1

정답 및 해설

눈으로 보는 정답 및 도움말

▶ 학생 지도 자료로 활용할 수 있습니다.

이룸이앤비
Education & Books

초등국어 어휘력 향상을 위한 어휘 왕

5-1

1장 대화와 공감

1 대화와 공감

대화는 마주 대하여 이야기를 주고받는 것을 말해요. 대화를 할 때에는 서로의 장점을 찾아 칭찬하거나 상대를 배려하며 말하는 것이 중요해요.

✏ 빈칸에 알맞은 낱말을 [보기]에서 찾아 써 보세요.

보기

| 공감 | 대화 | 말투 | 배려 | 조언 | 칭찬 |

❶ 온 동네에 은수가 성실하다고 **칭찬** 이 자자하다.
좋은 점이나 착하고 훌륭한 일을 높이 평가하는 말

❷ 상대가 기분이 상하지 않게 **배려** 하며 말해야 한다.
도와주거나 보살펴 주려고 마음을 씀.

❸ 선생님께 공부하는 방법에 대해 **조언** 을 구해야겠다.
도움이 되는 말이나 몰랐던 것을 깨우쳐 주는 말

❹ 어제 본 영화가 재밌었다는 친구의 말에 **공감** 이 간다.
남의 감정, 의견에 대하여 자기도 그렇다고 느끼는 기분

도움말▼ '말투'는 '어투'라고도 쓸 수 있어요.

❺ 언니의 **말투** 는 상냥해서 다른 사람들의 기분을 좋게 한다.
말을 하는 버릇이나 형식

❻ 영수가 **대화** 도중에 끼어들어 내일 숙제가 무엇이냐고 물었다.
마주 대하여 하는 이야기

10

2 바꿔 쓸 수 있는 말 첫걸음

✏ 밑줄 친 낱말과 바꿔 쓸 수 있는 낱말을 [보기]에서 찾아 써 보세요.

보기

| 경우 | 본디 | 본심 | 시작 | 역정 | 재능 | 평상시 |

도움말▼ '첫걸음'은 '첫발'과도 바꿔 쓸 수 있어요.
❶ 무슨 일이든 첫걸음이 가장 중요하다. ⇨ **시작**

❷ 형은 내가 거짓말한 사실을 알고 짜증을 냈다. ⇨ **역정**
마음에 맞지 아니하여 내는 화

❸ 내 친구 정연이는 음악에 뛰어난 소질이 있다. ⇨ **재능**
타고난 능력이나 성질

도움말▼ '본디'는 '본시, 본래'로도 쓸 수 있어요.
❹ 그는 원래 부끄러움이 많아서 말수가 매우 적다. ⇨ **본디**
처음부터

❺ 만일의 상황에 대비해 준비를 철저히 해야 한다. ⇨ **경우**
일이 되어 가는 과정이나 형편

❻ 나는 주말에도 평소와 같이 일찍 아침을 먹는다. ⇨ **평상시**
특별한 일이 없는 보통 때

❼ 진우는 속마음을 잘 말하지 않아서 도통 진심을 알 수가 없다. ⇨ **본심**
거짓이 없이 참된 마음

11

3 뜻을 더하는 말 1 -거리

'-거리'는 '내용이 될 만한 재료'라는 뜻을 더해 주는 말이에요.

✏ 밑줄 친 말을 한 낱말로 바꿔 써 보세요.

❶ 그는 일을 하여 돈을 벌 재료가 많아 늘 부지런하게 일을 했다. ⇨ 일 거 리
도움말▲ '일거리'는 '일감'으로도 쓸 수 있어요.

❷ 엄마는 나에게 국을 끓이는 데 넣는 재료로 쇠고기를 사 오라고 하셨다. ⇨ 국 거 리

❸ 내가 좋아하는 이 책에는 읽을 만한 재료가 풍부하다. ⇨ 읽 을 거 리

❹ 요즘 속을 태우며 괴로워하게 하는 일 때문에 도통 입맛이 없다. ⇨ 고 민 거 리
도움말▲ '고민거리'는 '걱정거리'와 바꿔 쓸 수 있어요.

❺ 나의 버릇이 남에게 비웃음을 살 만한 일로 여겨지리라고는 생각하지 못했다. ⇨ 웃 음 거 리

❻ 남을 망신 주려다 오히려 자기가 망신을 당할 만한 재료가 되어 버리고 말았다. ⇨ 망 신 거 리

❼ 선생님은 가끔 자신의 경험을 이야기할 만한 재료나 소재로 삼아 들려주셨다. ⇨ 이 야 깃 거 리
도움말▲ '이야깃거리'는 '얘깃거리'로 줄여 쓸 수 있어요.

12

4 뜻을 더하는 말 2 -스럽다

'-스럽다'는 '그러한 성질이 있음.'의 뜻을 더하고 낱말의 쓰임을 바꾸는 말이에요.

✏ 빈칸에 알맞은 낱말을 [보기]에서 찾아 활용하여 써 보세요.

보기

| 복스럽다 | 걱정스럽다 | 과장스럽다 | 사랑스럽다 |
| 억지스럽다 | 자랑스럽다 | 자연스럽다 | |

❶ 내 동생의 얼굴은 동글동글 **복스럽게** 생겼다.
복이 있어 보이는 데가 있게

❷ 텔레비전의 광고는 너무 **과장스러운** 경우가 많다.
사실보다 지나치게 불려서 나타내는 듯한

도움말▼ '억지스럽다'는 '고집스럽다'와 바꿔 쓸 수 있어요.
❸ 그는 회의를 할 때 **억지스러운** 주장을 되풀이했다.
억지를 부리거나 억지로 하는 데가 있는

❹ 나를 반기는 강아지가 무척 **사랑스러워** 안아 주었다.
생김새나 행동이 사랑을 느낄 만큼 귀여운 데가 있어

도움말▼ '부자연스럽다'는 '자연스럽다'와 뜻이 반대인 말이에요.
❺ 주인공의 연기가 **자연스러워** 영화에 몰입이 잘되었다.
억지로 꾸미지 아니하여 이상함이 없어

❻ 나는 우리 아빠가 경찰이라는 것을 늘 **자랑스럽게** 여긴다.
남에게 드러내어 뽐낼 만한 데가 있게

❼ 엄마는 내가 기침하는 모습을 **걱정스러운** 눈빛으로 바라보셨다.
걱정이 되어 마음이 편하지 않은 데가 있는

13

5 형태는 같은데 뜻이 다른 말 1 세다

'힘이 많다.'라는 뜻을 가진 말도 '세다'이지만 '사물의 수를 헤아리거나 꼽다.', '머리카락이나 수염 따위의 털이 희어지다.'라는 뜻을 가진 말도 '세다'예요. 이처럼 형태는 같지만 뜻이 서로 다른 낱말을 '동형어'라고 해요.

✏️ 밑줄 친 낱말에 알맞은 뜻을 찾아 기호를 써 보세요.

세다   ㉠ 힘이 많다.
        ㉡ 사물의 수를 헤아리거나 꼽다.
        ㉢ 머리카락이나 수염 따위의 털이 희어지다.

도움말 ▲ '힘이 많다.'의 뜻을 가진 '세다'는 '강하다'와 바꿔 쓸 수 있고, '사물의 수를 헤아리거나 꼽다.'의 뜻을 가진 '세다'는 '셈하다'와 바꿔 쓸 수 있어요.

❶ 할아버지의 수염이 허옇게 세었다.   ⇨ ㉢

❷ 투수가 포수를 향해 공을 세게 던졌다.   ⇨ ㉠

❸ 오빠가 방문을 세게 닫는 소리에 깜짝 놀랐다.   ⇨ ㉠

❹ 할머니의 머리카락이 어느새 온통 세어 버렸다.   ⇨ ㉢

❺ 밤하늘에 셀 수 없을 만큼 많은 별이 떠 있었다.   ⇨ ㉡

❻ 그는 팔심이 세서 팔씨름 대회에서 우승을 많이 했다.   ⇨ ㉠

도움말 ▼ '숨바꼭질'은 '술래잡기'라고도 해요.
❼ 숨바꼭질을 할 때는 술래가 열을 셀 때까지 숨어야 한다.   ⇨ ㉡

14

6 형태는 같은데 뜻이 다른 말 2 어리다

✏️ 밑줄 친 낱말에 알맞은 뜻을 찾아 연결하세요.

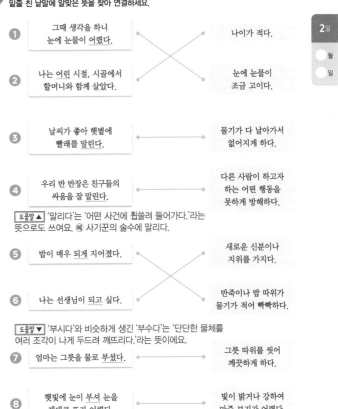

❶ 그때 생각을 하니 눈에 눈물이 어렸다. — 눈에 눈물이 조금 고이다.

❷ 나는 어린 시절, 시골에서 할머니와 함께 살았다. — 나이가 적다.

❸ 날씨가 좋아 햇볕에 빨래를 말린다. — 물기가 다 날아가서 없어지게 하다.

❹ 우리 반 반장은 친구들의 싸움을 잘 말린다. — 다른 사람이 하고자 하는 어떤 행동을 못하게 방해하다.

도움말 ▲ '말리다'는 '어떤 사건에 휩쓸려 들어가다.'라는 뜻으로도 쓰여요. 예 사기꾼의 술수에 말리다.

❺ 밥이 매우 되게 지어졌다. — 반죽이나 밥 따위가 물기가 적어 빡빡하다.

❻ 나는 선생님이 되고 싶다. — 새로운 신분이나 지위를 가지다.

도움말 ▲ '부시다'와 비슷하게 생긴 '부수다'는 '단단한 물체를 여러 조각이 나게 두드려 깨뜨리다.'라는 뜻이에요.

❼ 엄마는 그릇을 물로 부셨다. — 그릇 따위를 씻어 깨끗하게 하다.

❽ 햇빛에 눈이 부셔 눈을 제대로 뜨기 어렵다. — 빛이 밝거나 강하여 마주 보기가 어렵다.

2일
○ 월
○ 일

15

7 뜻이 반대인 말 완성/미완성

✏️ 밑줄 친 낱말과 뜻이 반대인 낱말을 [보기]에서 찾아 써 보세요.

보기
거짓   불행   출발   무관심   미완성   부정적

❶ 열차의 도착 시간은 오후 7시이다.   ⇨ 출발
    목적한 곳에 다다름.

❷ 우리 언니는 어릴 적부터 그림에 관심이 많다.   ⇨ 무관심
    어떤 것에 마음이 끌려 주의를 기울임.
    또는 그런 마음이나 주의

❸ 그 작품은 한 달 여 만에 마침내 완성이 되었다.   ⇨ 미완성
    완전히 다 이룸.

❹ 나는 엄마에게 그 물음에 대해 긍정적 답변을 들었다.   ⇨ 부정적
    그러하거나 옳다고 인정하는. 또는 그런 것

❺ 나는 부모님께 무엇이든지 항상 진실만을 말할 것이다.   ⇨ 거짓
    거짓이 없는 사실

도움말 ▼ '다행'은 '천행', '만행'과 바꿔 쓸 수 있어요.
❻ 잠시 길을 잃었지만 약속에 많이 늦지 않아서 다행이다.   ⇨ 불행
    뜻밖에 일이 잘되어 운이 좋음.

16

8 움직임을 나타내는 말 발휘하다

✏️ 밑줄 친 낱말의 알맞은 뜻을 찾아 번호를 써 보세요.

❶ 그는 어떤 말을 해야 할지 몰라 망설였다.   (②)
    ① 여럿 가운데서 필요한 것을 골라 뽑았다.
    ② 이리저리 생각만 하고 태도를 결정하지 못했다.

❷ 정인이는 남의 눈을 심하게 의식하는 경향이 있다.   (①)
    ① 무엇에 특별히 신경을 쓰는
    ② 중요하게 생각하지 않는
    도움말 ▲ '중요하게 생각하지 않다.'의
    뜻을 가진 낱말은 '무시하다'예요.

❸ 로봇 기술의 발전으로 우리의 삶이 변화하고 있다.   (②)
    ① 어떤 상태를 오래 계속하고
    ② 무엇의 모양이나 상태, 성질 등이 달라지고

❹ 우리는 상대의 실력을 과소평가하는 실수를 저질렀다.   (②)
    ① 확실히 그렇다고 여기는
    ② 사실보다 작거나 약하게 평가하는
    도움말 ▲ '확실히 그렇다고 여기다.'라는
    뜻을 가진 낱말은 '인정하다'예요.

❺ 해가 저물자 사람들이 집으로 향하는 걸음을 재촉했다.   (①)
    ① 어떤 일을 빨리하도록 졸랐다.
    ② 몹시 소란스럽고 어지러운 일을 가라앉혔다.

❻ 그녀는 많은 사람들 앞에서 떨지 않고 자신의 실력을 발휘했다.   (①)
    ① 재능이나 실력 등을 잘 나타냈다.
    ② 어떤 사실이나 감정 따위를 남이 모르게 했다.
    도움말 ▲ '어떤 사실이나 감정 따위를 남이 모르게 하다.'
    라는 뜻을 가진 낱말은 '감추다'예요.

2일
○ 월
○ 일

17

9 뜻이 여러 가지인 말 꾸미다

'다의어'는 하나의 낱말이 여러 가지의 뜻을 가진 말이에요. '다의어'의 뜻을 제대로 알기 위해서는 그 낱말이 쓰인 앞뒤 내용을 잘 살피면서 읽어야 해요.

🖊 빈칸에 알맞은 낱말의 기본형을 써 보세요.

① 감기가 친구에게 ☐☐☐.
　　병 따위가 다른 이에게 전염되다.

　그는 1팀에서 2팀으로 ☐☐☐ 앉았다.
　　어떤 곳에서 다른 곳으로 움직여 자리를 바꾸다.
　　　➡ 옮 다

② 강추위에 코끝이 ☐☐☐.
　　몸의 한 부분이 추위를 느낄 정도로 차다.

　햇빛을 보니 눈이 ☐☐☐.
　　빛이 강하여 바로 보기 어렵다.
　　　➡ 시 리 다

　　도움말 ▲ '시리다'는 '찬 것 따위가 닿아 통증이 있다.'라는 뜻도 있어요.
　　예 찬물을 마시니 이가 시리다.

③ 머리를 예쁘게 ☐☐☐.
　　모양이 나게 매만져 차리거나 손질하다.

　거짓말을 그럴 듯하게 ☐☐☐.
　　거짓이나 없는 것을 사실인 것처럼 지어내다.
　　　➡ 꾸 미 다

④ 목에 생선 가시가 ☐☐☐.
　　막히거나 잡히다.

　그림을 그리는 데 시간이 많이 ☐☐☐.
　　시간이 들다.
　　　➡ 걸 리 다

18

10 띄어쓰기 보다

'보다'가 '어떤 수준에 비하여 한층 더'의 의미로 다른 말을 꾸며 줄 때에는 뒤에 오는 말과 띄어 써야 해요. 그러나 서로 차이가 있는 것을 비교하는 경우, 비교의 대상이 되는 말에 붙어 '~에 비해서'의 의미를 나타낼 때에는 앞말과 붙여 써야 해요.

보다 ✓높게 뛰다.
어떤 수준에 비하여 한층 더

결과보다 과정이 중요하다.
~에 비하여

　　도움말 ▲ '보다'가 '어떤 수준에 비하여 한층 더'의 뜻을 나타낼 때에는 '한층', '한결'과 바꿔 쓸 수 있어요.

🖊 다음 문장을 주어진 횟수에 따라 바르게 띄어 써 보세요.

① 형은나보다세살위이다. (4회)

형 은		나 보 다		세		살		위 이 다 .	

② 나는보다좋은사람이될것이다. (5회)

나 는		보 다		좋 은		사 람 이		될		것 이 다 .

③ 나는누구보다도걸음이빠르다. (3회)

나 는		누 구 보 다 도		걸 음 이		빠 르 다 .

④ 이컴퓨터는성능이보다뛰어나다. (4회)

이		컴 퓨 터 는		성 능 이		보 다		뛰 어 나 다 .

⑤ 민지는나보다그림을잘그린다. (4회)

민 지 는		나 보 다		그 림 을		잘		그 린 다 .

⑥ 나는산보다바다가더좋다. (4회)

나 는		산 보 다		바 다 가		더		좋 다 .

19

11 (타교과 어휘) 사회

🖊 빈칸에 알맞은 낱말을 써서 문장을 완성해 보세요.

① 한 나라의 주 권 은 마땅히 국민에게 있어야 한다.
　　국가의 의사나 정책을 최종적으로 결정하는 권력

　　도움말 ▼ '위도'는 '지구 위의 위치를 가로로 나타낸 것'을 뜻하는 말이에요.

② 지도상에서는 위치를 위도와 경 도 로 표시하고 있다.
　　지구 위의 위치를 세로로 나타낸 것

③ 우리나라는 삼면이 바다로 둘러싸인 반 도 국가이다.
　　삼면이 바다로 둘러싸이고 한 면은 육지에 이어진 땅

　　도움말 ▼ '침범'은 '남의 땅이나 나라, 권리, 재산 등을 범하여 손해를 끼침.'을 뜻하는 말이에요.

④ 해군은 우리 영 해 를 함부로 침범한 잠수함을 발견했다.
　　한 나라의 통치권이 미치는 바다의 영역

⑤ 그 나라는 전쟁에서 이웃 나라를 이기고 영 토 를 넓혔다.
　　한 국가의 땅

⑥ 남해는 크고 작은 섬들이 아주 많아 다 도 해 라 불린다.
　　섬이 많이 있는 바다

　　도움말 ▼ '해양'은 '넓고 큰 바다'를 뜻하는 말이에요.

⑦ 우리나라는 대 륙 과 해양을 잇는 지역적인 특수성이 있다.
　　넓은 면적을 가지고 바다의 영향이 직접적으로 미치지 않는 육지

20

🖊 밑줄 친 낱말의 뜻풀이가 적절하도록 알맞은 낱말을 찾아 ○표 하세요.

① 천둥과 번개를 동반한 비가 밤새도록 내렸다.
　　➡ 어떤 사물이나 현상이 (따로 / 함께) 생김.

　　도움말 ▼ '해안'은 '바닷가'와 바꿔 쓸 수 있어요.

② 해안에 부딪치는 파도 소리를 들으니 마음이 편안해진다.
　　➡ 바다와 육지가 (떨어진 / 맞닿은) 부분

③ 가을이 되면 넓은 평야에는 잘 익은 곡식이 물결을 친다.
　　➡ 평평하고 (넓은 / 좁은) 들

④ 폭설로 길이 끊기는 바람에 그 마을은 완전히 고립 상태가 되었다.
　　➡ 다른 사람과 어울리지 못하고 (따로 / 갑자기) 떨어짐.

⑤ 큰 지진이 일어난 이후로 한동안 여진이 계속되어 사람들이 불안에 떨었다.
　　➡ 큰 지진이 일어난 다음에 잇따라 일어나는 (더 큰 / 작은) 지진

⑥ 적도를 중심으로 한 북쪽과 남쪽은 서로 계절이 다르다.
　　➡ 남북 양극으로부터 (같은 / 다른) 거리에 있는 지구 표면에서의 점을 이은 선

⑦ 이곳에서는 흙모래와 바윗돌로 바다를 막는 간척 사업이 진행 중이다.
　　➡ 바다나 호수의 물을 (빼내고 / 채우고) 흙으로 메워 땅으로 만드는 일

21

2장 작품을 감상해요

1 주제별 어휘 장소

'장소'는 '어떤 일이 이루어지거나 일어나는 곳'을 의미하는 말이에요. '장소'의 개념을 잘 익혀 두면 문학 작품의 공간적 배경을 이해하는 데 도움이 돼요.

✏️ 빈칸에 알맞은 낱말을 [보기]에서 찾아 써 보세요.

보기

| 감옥 | 고향 | 마을 | 장터 | 학당 | 기숙사 |

① 유관순은 이화 **학당** 에 입학하여 공부를 했다.
예전에, 학교를 이르던 말
[도움말 ▼] '장터'는 '장마당'과 바꿔 쓸 수 있어요.

② 주말 **장터** 에는 많은 사람들로 시끌벅적하다.
장이 서는 터

③ 그는 죄를 저지르고 3년 만에 **감옥** 에서 나왔다.
죄인을 가두는 곳
[도움말 ▼] '촌락'은 '마을'과 같은 말이에요.

④ 할머니가 사시는 **마을** 에는 10여 채의 집이 있다.
주로 시골에. 여러 집이 모여 사는 곳

⑤ 대학생이 된 언니는 학교 **기숙사** 에서 생활하고 있다.
학교나 회사 따위에 딸려 있어 학생이나 직원들이 사는 집

⑥ 명절이 되면 기차역은 **고향** 을 찾는 많은 사람들로 북적인다.
자기가 태어나서 자란 곳

24

2 잘못 쓰기 쉬운 말 몽둥이

✏️ 밑줄 친 낱말을 알맞게 고쳐 써 보세요.

① 온 겨래가 한마음으로 나라를 지켰다. ⇨ **겨레**
같은 핏줄을 이어받은 민족

4일
월
일

② 친구와 싸워서 선생님께 꾸증을 들었다. ⇨ **꾸중**
아랫사람의 잘못을 꾸짖는 말
[도움말 ▲] '꾸중'은 '꾸지람'으로도 쓸 수 있어요.

③ 동생의 훼방으로 숙제를 다 하지 못 했다. ⇨ **훼방**
남의 일을 방해함.

④ 날아오는 야구공을 야구 방망이로 힘것 쳤다. ⇨ **힘껏**
있는 힘을 다하여

⑤ 나는 저녘마다 가족과 함께 텔레비전을 본다. ⇨ **저녁**
해가 질 무렵부터 밤이 되기까지의 사이

⑥ 내 짝꿍은 산수는 못해도 속셈은 정말 잘한다. ⇨ **속셈**
다른 도구를 쓰지 않고 머릿속으로 하는 계산
[도움말 ▲] '속셈'은 '마음속으로 하는 궁리나 계획'이라는 뜻도 있어요.

⑦ 헌병들은 사람들을 향해 몽동이를 마구 휘둘렀다. ⇨ **몽둥이**
조금 굵고 긴 막대기

25

3 올바른 발음 독립[동닙]

앞말이나 뒷말의 영향을 받아 원래의 소리가 다른 소리로 바뀌는 경우가 있어요. '독립'은 'ㄱ'과 'ㄹ'이 서로 영향을 주고받아 [동닙]으로 발음이 돼요.

독립[동닙]

✏️ 밑줄 친 낱말의 알맞은 발음을 찾아 ○표 하세요.

① 정류장에서 버스가 오기를 기다린다. ⇨ (정뉴장) [정유장]

② 잠자리는 수많은 겹눈을 가지고 있다. ⇨ [겹눈] (겸눈)
작은 눈들이 벌집 모양으로
한데 모여서 이루는 눈

③ 적의 침략에 대비를 철저히 해야 한다. ⇨ (침·냑) [침·략]
남의 나라에 쳐들어가 영토를 빼앗는 것

④ 아주 먼 옛날에는 지구에 공룡이 살았다. ⇨ [옛·날] (옌·날)

⑤ 앞문이 고장이 났으니 뒷문을 이용해 주세요. ⇨ (암문) [압문]

⑥ 그는 자꾸 곁눈질로 힐끔 나를 쳐다보았다. ⇨ (견눈질) [겸눈질]
눈알을 옆으로 돌려서 보는 것

⑦ 전국 방방곡곡에서 모두가 한마음으로 독립을 외쳤다. ⇨ [독닙] (동닙)

26

4 뜻을 더하는 말 1 신-

'신(新)-'은 '새로운'의 뜻을 더하는 말이에요.

4일
월
일

✏️ 빈칸에 알맞은 낱말을 써서 문장을 완성해 보세요.

① 그들은 일찍부터 **신 학 문** 을 배웠다.
서양에서 들어온 새 학문

[도움말 ▼] '성능'은 '기계 따위가 지닌 성질이나 기능'을 뜻하는 말이에요.

② **신 제 품** 은 기존 제품보다 성능이 훨씬 좋다.
새로 만든 물건

[도움말 ▼] '개화기'는 '한 나라가 새로운 사상, 문물, 제도 따위를 받아들여 근대적 사회로 변해 가는 시기'를 의미해요.

③ 우리 민족은 개화기 때 **신 문 물** 을 받아들였다.
외국에서 들어오는 새로운 지식과 물건

④ **신 사 상** 이 들어오면서 예술의 흐름도 바뀌었다.
새로운 사상

⑤ 이 노래는 **신 세 대** 사이에서 유행하는 노래이다.
새로운 세대

⑥ 그 선수는 이번 수영 대회에서 **신 기 록** 을 세웠다.
기존의 기록보다 뛰어난 새로운 기록

⑦ 시골에서 나고 자란 그에게 도시는 **신 세 계** 와 같았다.
새롭게 생활하거나 활동하는 장소

27

5 뜻을 더하는 말 2 뒤-

✏️ 밑줄 친 낱말에 붙은 '뒤-'의 알맞은 뜻을 찾아 기호를 써 보세요.

> 뒤- ㉠ '몹시, 마구, 온통'의 뜻을 더하는 말
> ㉡ '반대로' 또는 '뒤집어'의 뜻을 더하는 말

도움말▼ '뒤엎다'는 '뒤집어엎다'로도 쓸 수 있어요.

① 강한 물살이 나룻배를 뒤엎었다. ➡️ ㉡

② 민정이는 진영이의 말을 뒤받았다. ➡️ ㉡

③ 밤새 내린 눈이 온 마을을 뒤덮었다. ➡️ ㉠

④ 여러 가지 생각이 뒤엉켜서 머리가 복잡하다. ➡️ ㉠

⑤ 두 가지 물감을 뒤섞어 새로운 색깔을 만들었다. ➡️ ㉠

⑥ 바람이 나무를 뒤흔들어 나뭇잎이 우수수 떨어진다. ➡️ ㉠

⑦ 친구와 싸우지 말고 서로 처지를 뒤바꿔서 생각해 봐. ➡️ ㉡

28

6 뜻을 더하는 말 3 되-

✏️ 밑줄 친 낱말에 붙은 '되-'의 알맞은 뜻을 찾아 기호를 써 보세요.

> 되- ㉠ '도로', '이전 상태로'의 뜻을 더함.
> ㉡ '도리어' 또는 '반대로'의 뜻을 더함.
> ㉢ '다시', '되풀이해서'의 뜻을 더함.

① 잃어버린 우산을 되찾았다. ➡️ ㉠

② 그는 자신의 인생을 되돌아보았다. ➡️ ㉢

③ 우리는 선생님께서 하신 말씀을 되씹었다. ➡️ ㉢

④ 연지는 두고 온 물건이 있어서 집으로 되돌아갔다. ➡️ ㉠

⑤ 형사가 목격자인 그를 되넘겨짚어 범인으로 여기는 것 같다. ➡️ ㉡

⑥ 역사적 교훈을 되새기며 다시는 그런 일이 없도록 해야 한다. ➡️ ㉢

⑦ 그는 상대편을 먼저 넘어뜨렸지만 어느새 상대편에게 되깔렸다. ➡️ ㉡

29

7 자주 쓰는 말 입이 벌어지다

✏️ 카드를 왼쪽에서 하나, 오른쪽에서 하나씩 꺼내 주어진 뜻에 알맞은 말을 써 보세요.

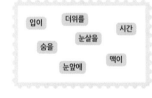

왼쪽: 입이 / 더위를 / 시간 / 숨을 / 눈살을 / 맥이 / 눈앞에

오른쪽: 거두다 / 찌푸리다 / 가는 줄 모르다 / 풀리다 / 벌어지다 / 어른거리다 / 먹다

① 매우 놀라거나 좋아하다. ➡️ 입이 벌어지다

② 기운이나 긴장이 풀어지다. ➡️ 맥이 풀리다

③ '죽다'를 간접적으로 둘러 표현하는 말 ➡️ 숨을 거두다

④ 어떤 사람이나 일 따위에 관한 기억이 떠오르다. ➡️ 눈앞에 어른거리다

도움말▲ '눈앞에 어른거리다'는 '눈에 아른거리다'로도 쓸 수 있어요.

⑤ 여름철에 더위 때문에 몸에 이상 증세가 생기다. ➡️ 더위를 먹다

⑥ 마음에 못마땅한 뜻을 나타내어 양미간을 찡그리다. ➡️ 눈살을 찌푸리다

⑦ 바쁘게 지내서 시간이 어떻게 지났는지 알지 못하다. ➡️ 시간 가는 줄 모르다

30

8 움직임을 나타내는 말 무릅쓰다

✏️ 빈칸에 알맞은 낱말을 [보기]에서 찾아 활용하여 써 보세요.

> 보기
> 애타다   엿듣다   무릅쓰다   밀려들다
> 시달리다   추진하다   받아들이다

① 경수는 그들의 대화를 문틈으로 _엿듣고_ 있었다.
남의 말을 몰래 가만히 듣고

② 그는 한 치의 망설임도 없이 계획된 일을 _추진했다_ .
목표를 향하여 밀고 나아갔다.

③ 거리에는 축구 경기를 응원하는 사람들이 물결처럼 _밀려들었다_ .
한꺼번에 여럿이 몰려들었다.

④ 서양 문물을 _받아들이고_ 신학문을 배워 나라의 힘을 길렀다.
다른 문화, 문물을 받아서 자기 것으로 되게 하고

도움말▼ '애타다'는 '애끓다'로도 쓸 수 있어요.

⑤ 일본에게 침략을 당한 우리 민족은 모두가 독립을 _애타게_ 바랐다.
몹시 답답하거나 안타까워 속이 끓는 듯하게

⑥ 유관순은 나라를 구하기 위해 죽음을 _무릅쓰고_ 독립 만세를 불렀다.
힘들고 어려운 일을 견디고

⑦ 아버지는 우리나라가 일본에게 _시달리는_ 것은 나라의 힘이 약하기 때문이라고 하셨다.
괴로움이나 성가심을 당하는

31

9 흉내 내는 말 자근자근

그림의 상황에 어울리도록 빈칸에 알맞은 낱말을 써서 문장을 완성해 보세요.

❶  ➡ 아이들이 ⬜빨 ⬜뿔 ⬜이 집으로 돌아갔다.
제각기 따로따로 흩어지는 모양

❷  ➡ 줄꾼이 아 슬 아 슬 줄을 타고 있다.
소름이 끼칠 정도로 마음이 약간 위태롭거나 조마조마한 모양

❸  도움말▼ '출렁출렁'은 '줄렁줄렁'보다
거센 느낌을 주는 말이에요.
➡ 계곡물이 출 렁 출 렁 흘러내린다.
물 따위가 자꾸 큰 물결을 이루며 흔들리는 모양

❹ ➡ 다리가 저려 옴 짝 달 싹 못했다.
몸을 아주 조금 움직이는 모양

❺ ➡ 할머니의 다리를 자 근 자 근 주물러
드렸다.
자꾸 가볍게 누르거나 밟는 모양

32

10 띄어쓰기 것이, 게

'것'은 사물, 일 따위를 가리킬 때 쓰는 말로 앞말과 띄어 써요. '게'는 '것'에 주어를 나타내는 '이'가 붙어 줄어든 것이므로 역시 앞말과 띄어 써요.

노는✓것이 제일 좋다.   **노는✓게** 제일 좋다.

다음 문장을 주어진 횟수에 따라 바르게 띄어 써 보세요.

❶ 영희는웃는게예쁘다. (3회)

| 영 | 희 | 는 | | 웃 | 는 | | 게 | | 예 | 쁘 | 다 | . |

❷ 여행을가는게즐겁다. (3회)

| 여 | 행 | 을 | | 가 | 는 | | 게 | | 즐 | 겁 | 다 | . |

❸ 산책을가는것이좋다. (3회)

| 산 | 책 | 을 | | 가 | 는 | | 것 | 이 | | 좋 | 다 | . |

❹ 춤을추는것이재미있다. (3회)

| 춤 | 을 | | 추 | 는 | | 것 | 이 | | 재 | 미 | 있 | 다 | . |

❺ 아는게있으면전부말해라. (4회)

| 아 | 는 | | 게 | | 있 | 으 | 면 | | 전 | 부 | | 말 | 해 | 라 | . |

❻ 자리를양보하는것이기특하다. (3회)

| 자 | 리 | 를 | | 양 | 보 | 하 | 는 | | 것 | 이 | | 기 | 특 | 하 | 다 | . |

❼ 이것은내가좋아하는게아니다. (4회)

| 이 | 것 | 은 | | 내 | 가 | | 좋 | 아 | 하 | 는 | | 게 | | 아 | 니 | 다 | . |

33

11 타교과 어휘 과학

빈칸에 알맞은 낱말을 써서 문장을 완성해 보세요.

❶ 정확한 실험을 위해서는 변 인 통제를 잘 해야 한다.
성질이나 모습이 변하는 원인

❷ 열의 전 도 에 의해 열이 손실되는 것을 막아야 한다.
열 또는 전기가 물체 속을 이동하는 일

❸ 태양 전지판을 이용하여 햇빛을 전기로 변 환 할 수 있다.
달라져서 바뀜. 또는 다르게 하여 바꿈.

❹ 단 열 이 잘되게 집을 지으면 겨울철 난방비를 줄일 수 있다.
물체와 물체 사이에 열이 서로 통하지 않도록 막음. 또는 그렇게 하는 일

❺ 우리는 여러 번의 실험을 통해 확실한 결론을 도 출 해 내었다.
판단이나 결론 따위를 이끌어 냄.

도움말▼ '섭씨'는 '섭씨온도'라고도 써요.
❻ 날이 무척 더워 온도계를 보니 섭 씨 35도를 가리키고 있었다.
물이 어는 온도를 0도로, 끓는 온도를 100도로 하고
그 사이를 100등분 하여 온도를 재는 단위

❼ 목욕물의 수 온 은 너무 뜨겁지도 미지근하지도 않고 아주 적당했다.
물의 온도

34

❽ 오래된 신문지가 누렇게 변 색 되었다.
빛깔이 변하여 달라짐. 또는 빛깔을 바꿈.

❾ 가정에서는 그릇을 끓는 물로 가 열 하여 소독한다.
어떤 물질에 열을 가함.

도움말▼ '가열'과 '과열'은 형태는 비슷하지만 그 뜻이
다르므로 헷갈리지 않도록 주의해야 해요.
❿ 화재는 전기난로가 과 열 되어 발생한 것으로 밝혀졌다.
지나치게 뜨거워짐. 또는 그런 열

⓫ 난로를 피우면 공기의 대 류 현상으로 실내가 따뜻해진다.
기체나 액체에서, 물질이 이동함으로써 열이 전달되는 현상

⓬ 가스 점 화 기 를 이용하여 가스레인지에 불을 붙였다.
불을 붙이기 위하여 전기 불꽃을 내는 기구

⓭ 육류는 공기와 접 촉 하지 않도록 포장하여 보관하는 것이 좋다.
서로 맞닿음.

⓮ 뜨거운 물을 사용하여 실험을 할 때에는 화 상 을 입지 않도록 주의해야 한다.
불이나 뜨거운 것 따위에 데어서 피부에 생긴 상처

35

3장 글을 요약해요

국어 교과서 92~121쪽

1 설명 방법

설명하는 글을 쓸 때에는 대상에 따라 알맞은 설명 방법을 사용해야 글을 읽는 사람이 글의 내용을 보다 쉽게 이해할 수 있어요.

글의 설명 방법에 대한 알맞은 내용을 찾아 연결하세요.

❶ 비교 · · 설명하려는 대상의 특징을 나열하여 설명하는 것

❷ 대조 · · 두 가지 이상의 대상에서 공통점을 찾아 설명하는 것

❸ 열거 · · 두 가지 이상의 대상에서 차이점을 찾아 설명하는 것

다음 글에 사용된 설명 방법이 무엇인지 써 보세요.

❶ 세계에는 많은 탑이 있다. 이탈리아에는 피사의 사탑이 있고 프랑스에는 에펠 탑이 있고 중국에는 동방명주 탑이 있다. ⇨ 열거

❷ 다보탑은 장식이 많고 화려한 반면, 석가탑은 단순하면서도 세련된 멋이 있다. ⇨ 대조

❸ 다보탑과 석가탑은 모두 통일 신라 시대에 만들어진 탑이다. 그리고 두 탑은 모두 국보로 지정되었다. ⇨ 비교

38

2 요약 방법

7일

글을 요약하면 중요한 내용을 쉽게 알 수 있고, 더 쉽게 기억할 수 있어요. 글을 요약할 때에는 글의 구조를 생각하며 요약을 해야 해요.

다음은 글의 요약 방법을 나타낸 것입니다. 빈칸에 알맞은 말을 [보기]에서 찾아 써 보세요.

보기
중심 문장 찾기 중요하지 않은 내용 지우기
새로운 중심 문장 만들기 대표할 수 있는 말로 바꾸기

❶ 중요하지 않은 내용 지우기

어젯밤에 텔레비전을 보다가 늦게 자서 아침에 늦잠을 잤다. 늦게 일어나서 허둥지둥 준비하고 학교에 갔지만 지각을 했다.
⇨ 늦잠을 자서 지각을 했다.

❷ 중심 문장 찾기

개미들은 협동을 매우 잘한다. 집으로 먹이를 나를 때 힘을 모은다. 집을 지을 때에도 모두 함께 힘을 합친다.
⇨ 개미들은 협동을 매우 잘한다.

❸ 대표할 수 있는 말로 바꾸기

나는 딸기, 포도, 복숭아, 오렌지를 좋아한다.
⇨ 나는 과일을 좋아한다.

❹ 새로운 중심 문장 만들기

나무는 우리에게 그늘을 주고 깨끗한 공기를 준다. 또 종이와 목재를 제공한다.
⇨ 나무는 우리에게 많은 도움을 준다.

39

3 주제별 어휘 1 전투

'전투'란 두 편의 군대가 무기를 갖추고 서로 싸우는 것을 말해요. 한국 전쟁 중에도 한강 전투, 대관령 전투 등 수많은 전투가 있었어요.

빈칸에 알맞은 낱말을 [보기]에서 찾아 써 보세요.

보기
군복 군인 무기 아군 적군 전술 전투

❶ 이번 전투 에서는 많은 사람이 다쳤다.
두 편의 군대가 무기를 갖추고 서로 싸움.

❷ 이 무기 는 전에는 보지 못한 새로운 것이다.
싸움을 할 때 적을 다치게 하거나 죽이기 위해 쓰는 도구

❸ 우리는 적군 의 공격에 철저히 대비해야 한다.
적의 군대나 군사

도움말▼ '위문편지'는 '위로하기 위해 쓰는 편지'예요.

❹ 나는 나라를 지키는 군인 아저씨께 위문편지를 썼다.
군대에 속하여 훈련을 받고 일정한 임무를 맡아 하는 사람

❺ 군대에 간 큰오빠는 휴가를 나올 때 군복 을 입고 왔다.
군대에서 군인들이 입는 옷

❻ 아군 끼리 무전기로 현재 상황에 대해 연락을 주고받았다.
우리 편 군대

❼ 우리 부대는 다음 주부터 새로운 전술 훈련을 할 계획입니다.
전쟁이나 전투 상황에 대처하기 위한 기술과 방법

40

4 주제별 어휘 2 병원

7일

'병원'은 '시설을 갖추고 병든 사람을 치료해 주는 곳'을 말해요. 환자는 병원에 가서 의사 선생님에게 진료와 처방을 받아요.

빈칸에 알맞은 낱말을 [보기]에서 찾아 써 보세요.

보기
감염 방역 소독 위생 처방 초진 환자

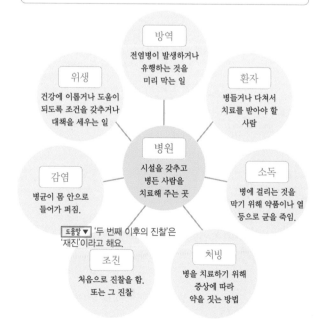

방역
전염병이 발생하거나 유행하는 것을 미리 막는 일

위생
건강에 이롭거나 도움이 되도록 조건을 갖추거나 대책을 세우는 일

환자
병들거나 다쳐서 치료를 받아야 할 사람

병원
시설을 갖추고 병든 사람을 치료해 주는 곳

감염
병균이 몸 안으로 들어가 퍼짐.

소독
병에 걸리는 것을 막기 위해 약품이나 열 등으로 균을 죽임.

도움말▼ '두 번째 이후의 진찰'은 '재진'이라고 해요.

초진
처음으로 진찰을 함. 또는 그 진찰

처방
병을 치료하기 위해 증상에 따라 약을 짓는 방법

41

5 주제별 어휘 3 재판

'재판'은 법원에서 어떤 사건에 대하여 법률에 따라 판단하는 일을 말해요. 법관은 법과 양심에 따라 공정한 판결을 해야 하는 책임이 있어요.

✎ 빈칸에 알맞은 낱말을 주어진 글자 카드로 만들어 써 보세요.

| 관 | 등 | 법 | 재 | 판 | 평 |

① 그 범인은 오늘 **재판** 을 받는다.
　　　법원에서 어떤 사건에 대하여 법에 따라 판단하는 일

② **법관** 에게는 도덕적인 태도가 요구된다.
　　　법원에서 각종 사건, 소송을 법에 따라 해결, 조정하는 권한을 가진 사람

③ 기회는 모두에게 **평등** 하게 주어져야 한다.
　　　권리, 의무 자격 따위가 차별 없이 고르고 똑같음.

| 공 | 결 | 법 | 사 | 원 | 정 | 판 |

④ **판사** 가 의사봉을 땅땅 두들겼다.
　　　법원에서 재판을 맡아 하는 공무원
　　　　　　　　　　　[도움말▼] '누명'은 '사실이 아닌 일로
　　　　　　　　　　　억울하게 얻은 나쁜 평판'이에요.

⑤ 그는 무죄 **판결** 을 받고 누명을 벗었다.
　　　옳고 그름이나 좋고 나쁨을 판단하여 결정함.

⑥ 심판은 경기를 **공정** 하게 심판해야 한다.
　　　어느 쪽으로도 치우치지 않고 올바름.

⑦ 그는 너무나 억울하여 **법원** 에 고소장을 접수했다.
　　　재판하는 일을 하는 국가 기관

42

---

6 뜻을 더하는 말 -개

'-개'는 '그러한 행위를 하는 간단한 도구' 또는 '그러한 행위를 특성으로 지닌 사람'이라는 뜻을 더해 주어요.

✎ 주어진 뜻에 알맞은 낱말을 써 보세요.

① 덮는 물건　　　　　　　　　　　⇨ **덮** 개

② 병이나 깡통 따위의 뚜껑을 따는 물건　⇨ **따** 개

③ 글씨나 그림 따위를 지우는 물건　　⇨ **지** **우** 개

④ 어떤 공간이나 몸의 부분을 가리기 위한 물건　⇨ **가** **리** 개

⑤ 늘 콧물을 흘리는 아이　　　　⇨ **코** **흘** **리** 개

⑥ 오줌을 가리지 못하는 아이　　⇨ **오** **줌** **싸** 개

⑦ 화초 따위에 물을 주거나 뿌리는 데에 쓰는 기구　⇨ **물** **뿌** **리** 개

43

---

7 자주 쓰는 말 눈길을 끌다

✎ 빈칸에 알맞은 말을 [보기]에서 찾아 활용하여 써 보세요.

[보기]
눈에 띄다　　눈이 많다　　눈에 밟히다　　눈을 붙이다
눈길을 끌다　　눈길을 주다　　눈길을 거두다

① 한국 경제가 **눈에 띄게** 성장하였다.
　　　　　　　두드러지도록 드러나게

② 쌓인 피로를 풀기 위해 잠시 **눈을 붙였다** .
　　　　　　　　　　　　　잠을 잤다.

③ 한참 동안 창밖을 바라보다가 **눈길을 거두었다** .
　　　　　　　　　　　보고 있던 것에서 다른 것으로 눈을 돌렸다.

④ 선생님이 떠드는 아이들 쪽으로 **눈길을 주었다** .
　　　　　　　　　　　　　시선을 그쪽으로 돌렸다.

⑤ 외국으로 유학을 가려니 가족들이 자꾸 **눈에 밟혔다** .
　　　　　　　　　　　　　　잊히지 않고 자꾸 눈앞에 떠올랐다.
　　　　　　　　[도움말▼] '눈길을 끌다'는 '눈길을 모으다'와
　　　　　　　　뜻이 같은 말이에요.

⑥ 그의 작품은 기발한 아이디어로 사람들의 **눈길을 끌었다** .
　　　　　　　　　　　　　　　　관심을 끌었다.

⑦ 이렇게 **눈이 많은** 곳에서 공연을 하려니 더욱 긴장이 된다.
　　　　　보는 사람이 많은

44

---

8 뜻이 반대인 말 송신/수신

✎ 밑줄 친 낱말과 뜻이 반대인 낱말을 [보기]에서 찾아 빈칸에 써 보세요.

[보기]
균형　　둔감　　서양　　손실　　수신　　적응　　청결

① <u>불균형</u>한 식습관을 **균형** 있는 식습관으로 바꾸도록 노력하자.
　　　　　　[도움말▼] '불결'은 '어떤 생각이나 행위가 도덕적으로
　　　　　　떳떳하지 못함.'이라는 뜻도 있어요. 예 불결한 생각

② 쓰레기통의 주변은 <u>불결</u>하기 쉬우므로 **청결** 하게 관리해야 한다.
　　　　　　　어떤 사물이나 장소가
　　　　　　　깨끗하지 아니하고 더러움.

③ 그는 처음에는 학교생활에 <u>부적응</u>했지만 금방 **적응** 하게 되었다.

④ 민주는 유행에 매우 <u>민감</u>하지만 수정이는 유행에 **둔감** 한 편이다.
　　　　　　　자극에 빠르게 반응하거나
　　　　　　　쉽게 영향을 받음.

⑤ 방송국에서 프로그램을 <u>송신</u>하면 가정에서는 프로그램을 **수신** 한다.
　　　　　　　　　　전기적 수단을 통해 신호를 보냄.

⑥ 우리 회사는 작년에는 많은 <u>이득</u>을 보았지만 올해에는 **손실** 을 입었다.

　　　　　　[도움말▼] '집단'과 '개인'도 서로 뜻이 반대인 말이에요.

⑦ 동양에서는 <u>집단</u>을 중시하고 **서양** 에서는 개인을 중시하는 경향이 있다.

45

9 헷갈리기 쉬운 말 업다/엎다

✎ 주어진 뜻을 참고하여 문장에 어울리는 낱말을 찾아 ○표 하세요.

| 업다 | 사람이나 동물 따위를 등에 대고 손으로 붙잡거나 붙어 있게 하다. |
| 엎다 | 실수로 넘어뜨려 속에 든 것이 쏟아지게 하다. |

① 엄마가 울고 있는 동생을 등에 ((업었다) / 엎었다).

② 밥을 먹다가 국그릇을 (업어서 / (엎어서)) 옷이 젖었다.

③ 주전자를 (업는 / (엎는)) 바람에 바닥이 물바다가 되었다.

> 도움말 ▼ '꾀다'는 '벌레 따위가 한곳에 많이
> 모여들어 뒤끓다.'라는 뜻으로도 쓰여요.

| 꾀다 | 그럴듯한 말이나 행동으로 남을 부추겨 자기 생각대로 끌다. |
| 꿰다 | 실이나 끈 따위를 구멍이나 틈의 한쪽에 넣어 다른 쪽으로 나가게 하다. |

④ 그는 연탄 한 장을 새끼에 ((꿰) / 꾀) 가지고 왔다.

⑤ 그녀는 돈 많은 김 씨를 ((꾀어) / 꿰어) 결혼하였다.

⑥ 엄마는 바느질을 하기 위해 실을 바늘에 ((꿰고) / 꾀고) 계셨다.

⑦ 영수는 동생을 (꿰어 / (꾀어)) 학용품을 살 돈으로 과자를 사 먹었다.

46

10 기본형

동작을 나타내는 말이나 성질이나 상태를 나타내는 말은 문장에서 다양한 형태로 활용을 해요. 다양한 활용형 중에서 가장 기본이 되는 형태를 '기본형'이라고 해요.

기본형	활용형
밥을 먹다.	밥을 먹고 텔레비전을 본다.
	밥을 먹으니 배가 부르다.
	밥을 먹지 않고 빵을 먹었다.

✎ 밑줄 친 낱말의 기본형을 빈칸에 써 보세요.

> 도움말 ▼ '다뤄'는 '다루어'를 줄여 쓴 말이에요.

① 이 내용을 자세히 다뤄 보자. ⇨ 다루다

② 자신이 아는 내용을 모두 말해 보자. ⇨ 알다

③ 옷이 너무 더러워서 세탁을 해야겠다. ⇨ 더럽다

④ 오른손의 손가락 끝이 왼발에 닿도록 해라. ⇨ 닿다

⑤ 이 탑은 우리 조상들의 뛰어난 솜씨를 보여 준다. ⇨ 뛰어나다

⑥ 쓴 글을 다시 읽고 고칠 부분이 없는지 확인해 보자. ⇨ 고치다
> 도움말 ▲ 이 문장에서 '고치다'는 '잘못되거나 틀린 것을 바로잡다.'라는 뜻으로 쓰이고 있어요.

⑦ 이 글은 일정한 기준에 따라 같은 것끼리 묶어서 설명하고 있다. ⇨ 묶다

47

11 타교과 어휘 도덕

✎ 빈칸에 알맞은 낱말을 써서 문장을 완성해 보세요.

① 김 선생님은 실력과 [인][격] 을 골고루 갖추신 분이다.
> 사람으로서의 품격

> 도움말 ▼ '손해'는 '물질적으로나 정신적으로 해를 입음.'이라는
> 뜻으로 '이익'과 뜻이 반대인 말이에요.

② 민혁이는 순간의 [이][익] 을 포기하고 양심을 선택했다.
> 물질적으로나 정신적으로 보탬이 되는 것

③ 나는 동생과 싸우고 나서 부모님께 혼날 것을 [염][려] 하였다.
> 앞일에 대하여 여러 가지로 마음을 써서 걱정함.
> 또는 그런 걱정

④ 그는 가장으로서의 [책][임][감] 때문에 마음이 무거웠다.
> 맡아 해야 할 일이나 의무를 중요하게 여기는 마음

> 도움말 ▼ '배출'은 '안에서 만들어진 것을 밖으로
> 밀어 내보냄.'이라는 뜻도 가지고 있어요.

⑤ 어려운 시대일수록 뛰어난 지도자가 [배][출] 되기를 바라게 된다.
> 훌륭한 인재가 계속하여 나옴.

⑥ 갑자기 유학을 가겠다는 언니의 [선][언] 에 가족들은 할말을 잃었다.
> 널리 펴서 말함. 또는 그런 내용

⑦ 대통령은 경제 개발 계획을 세워서 사회 발전의 [토][대] 를 마련하였다.
> 어떤 일이나 사물의 바탕이 되는 기초를
> 비유적으로 이르는 말

48

✎ 밑줄 친 낱말의 뜻풀이가 적절하도록 알맞은 낱말을 찾아 ○표 하세요.

① 경수가 내 말을 믿어 주지 않은 것이 내심 섭섭하였다.
⇨ 겉으로 드러나지 아니한 (거짓의 / (실제의)) 마음

② 전쟁이 터지자 수많은 사람들이 남쪽으로 피란을 갔다.
⇨ 난리를 ((피하여) / 쫓아) 옮겨 감.

③ 우리의 귀중한 문화재가 외부 세력에 의해 약탈되었다.
⇨ 폭력을 써서 남의 것을 ((억지로) / 조금만) 빼앗음.

④ 사람들은 그의 연설을 듣고 큰 감동을 받았다.
⇨ 여러 사람 앞에서 자신의 생각이나 주장을 ((발표함) / 자랑함).

⑤ 남에게 돈을 빌려줄 때에는 차용증을 작성해 놓는 것이 좋다.
⇨ 돈이나 물건을 빌린 것을 증명하는 (그림 / (문서))

⑥ 그는 사업이 날로 번창하여 많은 돈을 벌었다.
⇨ 어떤 조직이나 활동 등이 한창 잘되어 크게 (기움 / (일어남)).

> 도움말 ▼ '말미'는 '어떤 사물의 맨 끄트머리'라는 뜻으로도 쓰여요.
> 예 계약서 말미에 서명을 했다.

⑦ 나에게 이틀간만 말미를 주면 그것에 대해 생각해 볼게.
⇨ 어떤 일에 매인 사람이 다른 일을 하기 위해 얻는 ((시간적) / 정신적) 여유

49

4장 글쓰기의 과정

📖 국어 교과서 122~145쪽

1 글쓰기 과정

글쓰기는 생각이나 사실 따위를 글로 써서 표현하는 일이에요. 일정한 과정에 따라 글을 쓰면 자신이 말하고자 하는 바를 효과적으로 표현할 수 있어요.

✏️ 다음은 글쓰기의 과정을 나타낸 것입니다. 빈칸에 알맞은 말을 [보기]에서 찾아 써 보세요.

보기

| 계획하기 | 고쳐 쓰기 | 떠올리기 | 조직하기 | 표현하기 |

읽을 사람을 고려하여 [계획하기]

⬇

쓸 내용 [떠올리기]

⬇

떠올린 내용을 [조직하기]

⬇

자신의 생각을 글로 [표현하기]

⬇

호응 관계를 고려하여 [고쳐 쓰기]

52

2 기본형

✏️ 밑줄 친 낱말의 기본형을 써 보세요.

❶ 종이를 잘라 꽃을 만들었다.
　동강을 내거나 끊어 내어
⇨ 자르다

❷ 노래를 크게 불러 목이 아프다.
　음에 맞추어 노래의 가사를 소리 내어
⇨ 부르다

❸ 내가 민수보다 한참이나 앞질러 갔다.
　남보다 앞으로 나아가다.
⇨ 앞지르다

❹ 체온을 올리기 위해 목에 목도리를 둘렀다.
　띠나 수건, 치마 따위를 몸에 휘감았다.
⇨ 두르다

도움말 ▼ '붇다'는 '살이 찌다.'라는 뜻으로도 쓰여요. 예 살이 붙었다.

❺ 국수를 너무 오래 삶았더니 면이 퉁퉁 불었다.
　물에 젖어서 부피가 커졌다.
⇨ 붇다

도움말 ▼ '말다'는 '밥이나 국수 따위를 물이나 국물에 넣어서 풀다.'라는 뜻으로도 쓰여요. 예 밥을 국에 말다.

❻ 엄마는 김밥을 예쁘게 말아 도시락 통에 담아 주셨다.
　얇고 넓적한 물건을 둘둘 감아 싸서
⇨ 말다

❼ 길을 가던 외국인이 나에게 지하철역이 어디인지 물었다.
　대답이나 설명을 해 달라는 뜻으로 말했다.
⇨ 묻다

10일
○ 월
○ 일

53

---

3 문장 성분

'문장 성분'은 주어, 목적어, 서술어와 같이 문장을 구성하는 단위를 말해요. 문장 성분마다 문장 안에서 하는 기능이 달라요.

언니가 노래를 부른다.
　　　주어　　목적어　　서술어

도움말 ▲ '이/가'는 '주어' 뒤에 붙는 말이고, '을/를'은 '목적어' 뒤에 붙는 말이에요.

✏️ 다음 문장에서 주어를 찾아 ○표 하세요.

주어는 문장에서 동작이나 상태의 주체가 되는 말이에요. 문장에서 '무엇이'에 해당하는 부분이 '주어'예요.

❶ (이것은) 책이다.

❷ (아기가) 잠을 잔다.

✏️ 다음 문장에서 서술어를 찾아 ○표 하세요.

서술어는 주어의 움직임, 상태, 성질 따위를 풀이하는 말이에요. 문장에서 '무엇이다, 어찌하다, 어떠하다'에 해당하는 부분이 '서술어'예요.

❶ 이것은 (연필이다).

도움말 ▲ '이다'는 앞말이 서술어의 자격을 가지게 해 주는 말이에요. '연필'에 '이다'가 붙어 서술어가 되었어요.

❷ 학생이 의자에 (앉는다).

✏️ 다음 문장에서 목적어를 찾아 ○표 하세요.

목적어는 문장에서 동작의 대상이 되는 말이에요. 문장에서 '무엇을'에 해당하는 부분이 '목적어'예요.

❶ 누나가 (피아노를) 친다.

❷ 나는 (인형을) 좋아한다.

54

✏️ 낱말 카드를 주어, 목적어, 서술어의 순서로 배열하여 문장을 만들어 써 보세요.

❶ 새가 ／ 난다 ／ 하늘을
⇨ 새가 하늘을 난다 .

❷ 요리를 ／ 아빠가 ／ 하신다
⇨ 아빠가 요리를 하신다 .

❸ 책을 ／ 읽는다 ／ 동생이
⇨ 동생이 책을 읽는다 .

✏️ 다음 문장에서 주어, 목적어, 서술어만 남기고 줄여 써 보세요.

❶ 동생이 방에서 새근새근 잔다.
⇨ 동생이 잔다
도움말 ▲ '동생이 방에서 새근새근 잔다.'의 문장에는 '목적어'가 없어요.

❷ 별이 보석처럼 매우 반짝입니다.
⇨ 별이 반짝입니다
도움말 ▲ '별이 보석처럼 매우 반짝입니다.'의 문장에는 '목적어'가 없어요.

❸ 나는 놀이터에서 사진을 찍었습니다.
⇨ 나는 사진을 찍었습니다

❹ 나는 음식을 맛있게 먹습니다.
⇨ 나는 음식을 먹습니다

10일
○ 월
○ 일

55

4 주제별 어휘 집 짓기

사람들은 오래전부터 외부 환경으로부터 자신들을 보호하기 위해 집을 지어 그 속에 들어가 살았어요. '집 짓기'는 흙이나 나무, 돌, 벽돌, 쇠 따위를 써서 세우거나 쌓아 집을 만드는 일을 뜻해요.

✎ 빈칸에 알맞은 낱말을 [보기]에서 찾아 써 보세요.

보기
| 기와 | 목수 | 인부 | 축대 | 대들보 | 설계도 | 주춧돌 |

① 기와 에 다양한 무늬를 새길 수 있다.
지붕을 덮는 데 쓰기 위하여 흙을 굽거나 시멘트를 굳힌 것

② 이 절터에는 주춧돌 만 여러 개 남아 있다.
기둥 밑에 기초로 받쳐 놓는 돌

③ 설계도 를 보면 집의 구조를 한눈에 알 수 있다.
설계한 구조, 치수 따위를 그린 도면 도움말▼ '대들보'는 (비유적으로) 한 나라나 집안의 중요한 사람'이라는 뜻도 있어요.

④ 지붕을 튼튼하게 하려고 좋은 나무로 대들보 를 삼았다.
기둥과 기둥 위를 건너질러 가로로 놓인 큰 나무 대

⑤ 목수 는 튼튼하고 색깔이 고운 목재를 골라 집을 지었다.
나무로 집을 짓거나 가구 따위의 물건을 만드는 사람
도움말▼ '인부'는 '일꾼'과 바꿔 쓸 수 있어요.

⑥ 인부 들이 건설 현장에서 땀을 뻘뻘 흘리며 짐을 나르고 있다.
품삯을 받고 육체노동을 하는 사람

⑦ 산사태를 방지하기 위해 경사진 곳에 나무를 심고 축대 를 쌓았다.
높이 쌓아 올린 대나 터

56

5 행동을 당하는 말 보이다

낱말에 '-이-, -히-, -리-, -기-'를 붙여 행동을 당하는 말을 만들 수 있어요.

바다를 보다. → 바다가 보이다.

✎ 밑줄 친 낱말을 행동을 당하는 말로 바꿔 써 보세요.

① 산을 보다. ➡ 산이 보이다 .

② 못을 박다. ➡ 못이 박히다 .

③ 소식을 끊다. ➡ 소식이 끊기다 .
도움말▲ '끊다'는 '관계를 이어지지 않게 하다.'라는 뜻으로 사용되었어요.

④ 신문에 글을 싣다. ➡ 글이 신문에 실리다 .

⑤ 개가 사람을 물다. ➡ 사람이 개에게 물리다 .

⑥ 사냥꾼이 새를 잡다. ➡ 새가 사냥꾼에게 잡히다 .

⑦ 엄마가 동생을 업다. ➡ 동생이 엄마에게 업히다 .

57

6 문장의 호응

'호응'은 문장에서 앞에 어떤 말이 오고 짝인 말이 뒤따라오는 것을 뜻해요. 호응이 되지 않으면 문장이 어색해지거나, 전달하려는 뜻이 잘못 전해질 수 있어요.

✎ 빈칸에 알맞은 말을 찾아 연결하고, 바르게 써 보세요.

① 푸른 바다가 보인다 . ● ● 보신다

② 내일은 연극을 볼 거야 . ● ● 보인다

③ 할아버지께서 텔레비전을 보신다 . ● ● 볼 거야

✎ 문장의 밑줄 친 부분에 나타난 호응 관계가 무엇인지 빈칸에 알맞은 낱말을 써 보세요.

① 어제 친구와 놀이터에서 놀았다. ➡ 시간 을 나타내는 말과 서술어의 호응

② 할머니께서 병원에 가신다. ➡ 높임 의 대상을 나타내는 말과 서술어의 호응

③ 도둑이 경찰에게 잡혔다. ➡ 동작을 당하는 주어 와 서술어의 호응

58

✎ 밑줄 친 부분과의 호응 관계를 생각하며 알맞은 낱말을 찾아 ○표 하세요.

①  ➡ 나는 어제 수족관에 (갔다/ 간다).

② ➡ 할머니께서 사탕을 (주었다 / 주셨다).

③ ➡ 저 멀리 큰 유람선이 (보인다/ 본다).

④  ➡ 그물에 물고기가 잔뜩 (잡혔다/ 잡았다).

⑤  ➡ 나는 내일 언니와 함께 영화를 (봤어 / 볼 거야).

59

7 흉내 내는 말 차곡차곡

✎ 빈칸에 알맞은 낱말을 [보기]에서 찾아 써 보세요.

보기

| 살살 | 툴툴 | 뚜벅뚜벅 | 싹둑싹둑 | 옥신각신 | 차곡차곡 | 뭉그적뭉그적 |

1 옷을 __차곡차곡__ 개서 옷장에 넣었다.
　　　물건을 가지런히 겹쳐 쌓거나 포개는 모양

　　도움말 ▼ '싹둑싹둑'은 '삭둑삭둑'보다
　　센 느낌을 주는 말이에요.

2 미용사는 손님의 머리칼을 __싹둑싹둑__ 잘랐다.
　　　　가위 따위로 자꾸 자르거나 베는 소리 또는 모양

3 그는 뒤도 돌아보지 않고 __뚜벅뚜벅__ 걸어갔다.
　　　　발자국 소리를 뚜렷이 내며 잇따라 걸어가는 소리, 또는 그 모양

4 동생은 좋아하는 반찬이 없다며 __툴툴__ 투정을 부렸다.
　　　　마음에 차지 아니하여 몹시 투덜거리는 모양

5 방바닥을 __살살__ 기어 다니는 거미를 밖으로 내보냈다.
　　　남이 모르게 살그머니 행동하는 모양

　　도움말 ▼ '옥신각신'은 '티격태격'과 바꿔 쓸 수 있어요.

6 나는 언니와 사소한 일들로 __옥신각신__ 말다툼을 자주 한다.
　　　　　서로 옳으니 그르니 하며 다투는 모양

7 나는 졸린 눈을 비비며 학교에 가려고 __뭉그적뭉그적__ 일어났다.
　　　　　나아가지 못하고 제자리에서 게으르게 행동하는 모양

60

8 잘못 쓰기 쉬운 말 들르다

✎ 밑줄 친 낱말을 알맞게 고쳐 써 보세요.

1 물을 마셔도 딸꾹질이 멈치지 않았다. ⇨ 멈추지

2 집에 가는 길에 마트에 들렸다 갈까? ⇨ 들렀다

3 산에서 내려오다가 엉덩방아를 찍을 뻔했다. ⇨ 찧을

4 할머니 댁에 갔더니 할머니가 무척 반가워하셨다. ⇨ 갔더니

　　도움말 ▼ '번철'은 '전을 부치거나 고기 따위를 볶을 때
　　쓰는 솥뚜껑처럼 생긴 무쇠 그릇'이에요.

5 번철에 식용유를 골고루 둘른 뒤 전을 부쳤다. ⇨ 두른

6 오늘은 어려운 부분을 공부해서 그른지 머리가 아팠다. ⇨ 그런지

7 민수야, 이번에 네가 쓴 글을 학급 신문에 실도록 하자. ⇨ 싣도록

61

12**일**
월
일

9 (타교과 어휘) 수학

✎ 주어진 뜻에 알맞은 낱말을 찾아 ○표 하세요.

1 뒤섞어서 한데 합함. ⇨ 합성 **(혼합)**

　　도움말 ▲ '합성'은 '둘 이상의 것을 합쳐서
　　하나를 이룸.'을 뜻하는 말이에요.

2 어떤 수를 나누어떨어지게 하는 수 ⇨ **(약수)** 정수

3 일정한 차례나 간격에 따라 벌여 놓은 표 ⇨ 그래프 **(배열표)**

4 여러 부품을 하나의 구조물로 짜 맞춤. 또는 그런 것 ⇨ 설립 **(조립)**

5 분수의 분모와 분자를 공약수로 나누어 간단하게 하는 일 ⇨ 소분 **(약분)**

　　도움말 ▲ '소분'은 '작게 나눔. 또는
　　그런 부분'을 뜻하는 말이에요.

6 분모가 다른 둘 이상의 분수나 분수식에서, 분모를 같게 만듦. ⇨ **(통분)** 통합

7 어떤 두 대상이 주어진 어떤 관계에 의하여 서로 짝이 되는 일 ⇨ **(대응)** 응대

62

✎ 빈칸에 알맞은 낱말을 써서 문장을 완성하세요.

　　도움말 ▼ '배수'는 '곱수'로도 쓸 수 있어요.

1 5, 15, 20……은 5의 배 수 이다.
　　　　　　　　　어떤 수의 몇 배가 되는 수

2 계산을 하기 위해 계산기에 숫자를 입 력 했다.
　　　　　　　　　문자나 숫자 등의 정보를 컴퓨터에 기억하게 함.

3 나무 도막이 놓인 모습에서 규 칙 을 발견하였다.
　　　　　　　　　어떤 일이나 현상에 일정하게 나타나는 질서나 법칙

4 단 위 분 수 를 이용하여 원을 채워 보았다.
　　분자가 1인 분수

5 사다리꼴의 밑 변 과 높이를 알면 넓이를 구할 수 있다.
　　　　　　　삼각형이나 사다리꼴에서 밑에 있는 변

6 정다각형의 한 변의 길이를 알면 둘 레 를 구할 수 있다.
　　　　　　　　　사물의 가장자리를 한 바퀴 돈 길이

　　도움말 ▼ 제곱센티미터의 기호는 'cm²'예요.

7 이 삼각형의 넓이는 30 제 곱 센 티 미 터 이다.
　　　　　　　　넓이의 단위, 제곱미터의 만분의 1

63

12**일**
월
일

5장 글쓴이의 주장

국어 교과서 146~175쪽

1 낱말의 관계

한 낱말이 여러 가지 뜻을 가진 경우에 그 낱말을 '다의어'라고 해요. 형태는 같지만 뜻이 서로 다른 낱말은 '동형어'라고 해요.

동형어	쓰다¹	1. 종이 따위에 획을 그어서 일정한 글자를 적다.	다의어
		2. 머릿속의 생각을 종이 따위에 글로 나타내다.	
		3. 일정한 양식을 갖춘 글을 쓰는 작업을 하다.	
	쓰다²	1. 모자 따위를 머리에 얹어 덮다.	다의어
		2. 얼굴에 어떤 물건을 걸거나 덮어쓰다.	
		3. 먼지나 가루 따위를 몸이나 물체 따위에 덮은 상태가 되다.	

도움말 ▲ 사전에서 다의어는 한 낱말 아래 뜻이 여러 개 제시되어 있지만 동형어는 형태만 같을 뿐 서로 다른 낱말이므로 낱말 각각이 실려 있어요.

✎ 다음 밑줄 친 두 낱말의 관계가 동형어인지 다의어인지 써 보세요.

❶ 새로 산 모자를 쓰고 / 밖에 나갔다.   감기에 걸려서 / 마스크를 썼다. ⇨ 다의어

❷ 오늘까지 입학 원서를 / 써야 한다.   날이 추워 담요를 / 머리까지 썼다. ⇨ 동형어

❸ 내 취미는 연습장에 / 펜글씨를 쓰는 것이다.   나는 매일 저녁에 / 일기를 쓴다. ⇨ 다의어

❹ 친구에게 보내는 / 편지를 썼다.   우리는 가면을 만들어 / 쓰고 연극을 했다. ⇨ 동형어

66

2 형태는 같은데 뜻이 다른 말 1 다리

'사람이나 동물의 몸통 아래에 붙어 있는 신체의 부분'도 '다리'이지만 '건너다닐 수 있도록 만든 시설물'도 '다리'예요.

13일
월
일

✎ 빈칸에 공통으로 들어갈 낱말을 써 보세요.

❶ 발
① 아기의 [ ]이 정말 작다.
사람이나 동물의 다리 끝 부분
② 가게 문에 [ ]이 드리워져 있다.
줄 따위를 여러 개 나란히 늘어뜨려 만든 물건

❷ 병
① 약초를 먹고 [ ]이 나았다.
생물체가 건강이 나빠진 상태
② [ ]에 든 주스를 컵에 따라 마셨다.
액체나 가루를 담는 데 쓰는, 목이 길고 좁은 그릇

❸ 턱
① 그는 면도하다가 실수로 [ ]을 베었다.
사람의 입 아래에 있는 뾰족하게 나온 부분
② 이곳은 [ ]이 높아 자전거를 타기에는 위험하다.
평평한 곳의 어느 한 부분이 갑자기 조금 높이 된 자리

도움말 ▲ '턱'은 '좋은 일이 있을 때에 남에게 베푸는 음식 대접'이라는 뜻으로도 쓰여요. 예) 생일 턱을 내다.

❹ 다리
① 오래 걸었더니 [ ][ ]가 아프다.
사람이나 동물의 몸통 아래에 붙어 있는 신체의 부분
② 강 건너편으로 가려고 [ ][ ]를 건넜다.
물을 건너갈 수 있도록 만든 시설물

67

3 형태는 같은데 뜻이 다른 말 2 들다

✎ 밑줄 친 낱말의 알맞은 뜻을 찾아 번호를 써 보세요.

들다
① 밖에서 속이나 안으로 향해 가거나 오거나 하다.
② 비나 눈이 그치고 날이 좋아지다.
③ 날이 날카로워 물건이 잘 베어지다.
④ 손에 가지다.

❶ 신발을 들고 저를 따라오세요. ⇨ ④

❷ 오솔길을 따라 숲속에 들었다. ⇨ ①

❸ 날이 들어 밝아지니 기분이 좋다. ⇨ ②

도움말 ▼ '부케'는 '주로 결혼식 때 신부가 손에 드는 작은 꽃다발'이에요.
❹ 신부가 예쁜 부케를 손에 들고 있다. ⇨ ④

❺ 낫이 잘 들지 않아 벼를 베기 어렵다. ⇨ ③

❻ 칼이 아주 잘 드니 조심해서 사용해야 한다. ⇨ ③

❼ 계속 그렇게 서 있지 말고 어서 안으로 드시지요. ⇨ ①

68

4 뜻이 여러 가지인 말 1 일어나다

✎ 밑줄 친 낱말의 알맞은 뜻을 찾아 번호를 써 보세요.

일어나다
① 누웠다가 앉거나 앉았다가 서다.
② 잠에서 깨어나다.
③ 어떤 일이 생기다.
④ 어떤 마음이 생기다.

❶ 친구가 자꾸 나를 놀려서 화가 불쑥 일어났다. ⇨ ④

❷ 나는 주말이면 아침 일찍 일어나 아빠와 산에 간다. ⇨ ②

❸ 안전사고가 일어나지 않도록 복도에서는 뛰지 마세요. ⇨ ③

❹ 친구들 사이에 싸움이 일어나자 민찬이가 앞장서서 말렸다. ⇨ ③

❺ 휴일을 맞아 산으로 갈지 바다로 갈지 마음에 갈등이 일어났다. ⇨ ④

❻ 나는 휴대 전화를 놀이터에 두고 온 것이 생각나 벌떡 일어났다. ⇨ ①

❼ 친구들과 이야기하다가 집에 갈 시간이 되어 자리에서 일어났다. ⇨ ①

13일
월
일

69

5 뜻이 여러 가지인 말 2 잇다

✏️ 다음 상자 안의 밑줄 친 낱말의 뜻을 찾아, 그 문장 번호를 써 보세요.

```
① 섬과 육지를 다리로 이었다.        ② 개인 발표에 이어 모둠 발표를 하겠
                                      습니다.
③ 기침이 계속 나서 말을 잇기 어려    ④ 표를 사기 위해 사람들이 줄을 이어
   웠다.                              서 있다.
⑤ 전화선은 여기에 이어서 사용하면    ⑥ 교장 선생님의 말씀에 이어 교가 제
   된다.                              창이 있겠습니다.
⑦ 휴게소 입구에 차량들이 꼬리를 잇   ⑧ 병든 새끼 고양이가 힘겹게 생명을
   고 서 있다.                        이어 갔다.
```

두 끝을 맞대어 붙이다.
➡️ ① , ⑤

끊어지지 않게 계속 하다.
➡️ ③ , ⑧

도움말▼ '잇다'와 헷갈리기 쉬운 '잊다'는
'한번 알았던 것을 기억하지 못하거나
기억해 내지 못하다.'라는 뜻이에요.

잇다

많은 사람이나 물체가
줄을 이루어 서다.
➡️ ④ , ⑦

뒤를 따르다.
➡️ ② , ⑥

70

---

6 올바른 발음 편리[펄리]

'ㄴ'과 'ㄹ'은 소리가 날 때 서로의 영향을 받아서 소리가 바뀌어요.

'ㄹ'이 올 때
편리 → [펄리]
'ㄴ' 뒤에   'ㄹ'로 바뀜.

'ㄹ'이 올 때
결단력 → [결딴녁]
'ㄴ'으로 바뀜.

도움말▲ 발음 공부를 할 때 올바른 발음을 소리 내어
반복해서 읽어 보는 것이 도움이 돼요.

✏️ 밑줄 친 낱말의 알맞은 발음을 찾아 ○표 하세요.

① 쌀의 생산량이 작년보다 배로 늘었다. ➡️ ⟨생산냥⟩ [생살량]
   일정한 기간 동안 물건이 생산되는 수량

② 학생들의 편리를 위해 사물함을 설치했다. ➡️ [편니] ⟨펄리⟩
   이용하기 쉽고 편함.

③ 인공 지능은 인류에게 많은 도움이 될 것이다. ➡️ [인뉴] ⟨일류⟩
   세계의 모든 사람

④ 은어는 산란기에 강의 하류로 이동을 한다. ➡️ [산ː난기] ⟨살ː란기⟩
   알을 낳을 시기

⑤ 형은 결단력이 부족해서 망설이는 일이 많다. ➡️ ⟨결딴녁⟩ [결딸력]
   결정적인 판단을 하거나 단정을 내릴 수 있는 능력

⑥ 법을 지키지 않으면 사회가 혼란에 빠진다. ➡️ [혼ː난] ⟨홀ː란⟩
   여러 가지가 뒤섞여 질서가 없는 상태

⑦ 우리는 도서관에서 역사 관련 자료를 찾아보았다. ➡️ [관년] ⟨괄련⟩
   여럿이 서로 관계를 맺고 있음.
   또는 그 관계

71

---

7 주제별 어휘 1 운전

'운전'은 자동차 따위를 움직여 부리는 것을 말해요. 운전을 할 때에는 교통질서를 잘 지켜야 해요.

✏️ 빈칸에 알맞은 낱말을 [보기]에서 찾아 써 보세요.

```
보기
과속   면허   속도   제동   주행   차선   교통질서   대중교통
```

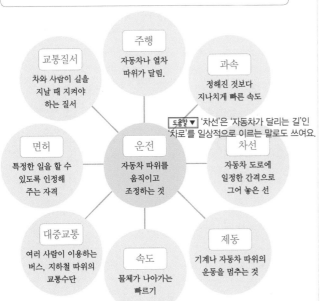

주행
자동차나 열차
따위가 달림.

과속
정해진 것보다
지나치게 빠른 속도

교통질서
차와 사람이 길을
지날 때 지켜야
하는 질서

도움말▼ '차선'은 '자동차가 달리는 길'인
'차로'를 일상적으로 이르는 말로도 쓰여요.

차선
자동차 도로에
일정한 간격으로
그어 놓은 선

면허
특정한 일을 할 수
있도록 인정해
주는 자격

운전
자동차 따위를
움직이고
조정하는 것

제동
기계나 자동차 따위의
운동을 멈추는 것

대중교통
여러 사람이 이용하는
버스, 지하철 따위의
교통수단

속도
물체가 나아가는
빠르기

72

---

8 주제별 어휘 2 창작

'창작'은 방안이나 물건 따위를 처음으로 만들어 내는 것을 말해요. 다른 사람들의 창작물을 이용할 때에는 반드시 허락을 구해야 해요.

✏️ 빈칸에 알맞은 낱말을 [보기]에서 찾아 써 보세요.

```
보기
윤리   인용   출처   표절   상상력   저작권   창작물
```

① 교실 뒤에 걸린 시는 저의 [창작물] 입니다.
   독창적으로 지어낸 예술 작품

② 글을 쓸 때에는 쓰기 [윤리] 를 지켜야 한다.
   사람으로서 바람이 시켜야 힐 비김직한 행동 기준
   도움말▼ '남의 말이나 글에서 따온 문장'은 '인용문'이라고 해요.

③ 적절한 [인용] 은 글의 내용을 풍성하게 한다.
   남의 말이나 글을 자신의 말이나 글 속에 끌어 쓰는 것

④ 보고서를 쓸 때에는 사진의 [출처] 를 밝히세요.
   사물이나 말 따위가 생기거나 나온 곳
   도움말▼ '저작자'는 '예술이나 학문에 관한
   책이나 작품 따위를 지은 사람'이에요.

⑤ [저작권] 을 통해 저작자의 권리를 보호할 수 있다.
   작가가 자기가 지은 것에 대해 가지는 권리

⑥ 예술가들은 다른 사람들보다 [상상력] 이 풍부하다.
   경험하지 않은 것에 대하여 마음속으로 그려 보는 힘

⑦ 다른 사람의 작품을 함부로 [표절] 해서는 안 된다.
   시나 글, 노래 등을 지을 때에 남의 작품의 일부를 몰래 따다 씀.

73

9 뜻이 반대인 말 조급하다/느긋하다

✏️ 밑줄 친 낱말과 뜻이 반대인 낱말을 [보기]에서 찾아 빈칸에 써 보세요.

보기
당기다　지키다　해롭다　흔하다　금지하다　느긋하다　불명확하다

① 약속 시간을 <u>어기지</u> 않고 잘 　지키다　.

② 문을 안에서는 밀고 밖에서는 　당기다　.

③ 이 문제는 명확하고 그 문제는 　불명확하다　.

도움말▼ '입산'은 '산속에 들어감.'이라는 뜻이에요.
④ 낮에는 입산을 허락하고 밤에는 입산을 　금지하다　.

도움말▼ '조급하다'는 '성급하다'와 바꿔 쓸 수 있어요.
⑤ 나는 성격이 조급하고 우리 언니는 성격이 　느긋하다　.
　　　　참을성이 없이 급하고

⑥ 영인이는 지각하는 일이 드물고 소민이는 지각하는 일이 　흔하다　.
　　　　　　　　흔하거나 많지 않고

⑦ 적당한 양의 나트륨은 몸에 이롭고 너무 많이 섭취하면 몸에 　해롭다　.
　　　　　　　　　　유리하거나 이익이 되고

74

10 바꿔 쓸 수 있는 말 잦다

✏️ 밑줄 친 낱말과 바꿔 쓸 수 있는 낱말을 [보기]에서 찾아 활용하여 써 보세요.

보기
곧다　　흉보다　　공헌하다　　과도하다
명심하다　　빈번하다　　준비하다

① 뒤에서 남을 <u>헐뜯지</u> 말아라. ⇨ 　흉보지　
　　　남을 깎아내리거나 해치는 말을 하지

② 철수는 욕심이 너무 <u>지나친</u> 것이 흠이다. ⇨ 　과도한　
　　　　　일정한 한도를 넘어 정도가 심한

③ 우리 할아버지는 독립에 크게 <u>기여하셨다</u>. ⇨ 　공헌하셨다　
　　　　　　　　도움이 되도록 이바지하셨다.

④ 컴퓨터 고장이 <u>잦아서</u> 새로 바꾸기로 했다. ⇨ 　빈번해서　
　　　　　잇따라 자주 있어서

⑤ 손님을 초대하여 음식을 <u>마련하느라</u> 매우 바쁘다. ⇨ 　준비하느라　
　　　　　　　필요한 것을 미리 준비하여 두느라

⑥ 민지는 생각이 <u>올발라서</u> 친구들의 본보기가 된다. ⇨ 　곧아서　
　　　　　말이나 생각, 행동 따위가 규범에서
　　　　　벗어남이 없이 옳고 발라서

⑦ 다음번에는 같은 실수를 하지 않도록 내 말을 <u>유념해라</u>. ⇨ 　명심해라　
　　　　　　　　　　　마음속에 깊이
　　　　　　　　　　　기억하고 생각해라.

75

11 타교과 어휘 사회

✏️ 빈칸에 알맞은 낱말을 써서 문장을 완성해 보세요.

① 도시는 농촌에 비해 인구 　밀　집　 지역이다.
　　　　　　빈틈없이 빽빽하게 모임.

② 개인의 　인　권　은 어떠한 경우에도 침해되어서는 안 된다.
　　　　인간으로서 당연히 가지는 기본적 권리

③ 우리나라는 몇 년 내에 초고령 사회에 　진　입　 할 것이다.
　　　　　　　　　　일정한 상태에 들어감.

④ 어린이를 어른과 동등한 하나의 　인　격　체　로 대해야 한다.
　　　　　　　　　사람으로서의 자격을 갖춘 독립적인 존재

⑤ 전체 인구에서 　노　년　층　이 차지하는 비율은 계속 늘고 있다.
　　　　　사회 구성원 가운데 노년기에 있는 사람을 통틀어 이르는 말

⑥ 경쟁에서 살아남으려면 　첨　단　 기술을 지속적으로 개발해야 한다.
　　　　　　　　시대나 학문, 유행 등의 가장 앞서는 자리

⑦ 과거에는 출산율이 높았지만 요즘에는 　저　출　산　 현상이 나타나고 있다.
　　　　　　　　　　　　　아이를 적게 낳음.

76

⑧ 교통의 발달로 　생　활　권　이 매우 넓어졌다.
　　　　　통학이나 통근 따위의 일상생활을 하느라고 활동하는 범위

⑨ 그 도시는 바다와 가까워 　물　류　 산업이 발달했다.
　　　　　　　　생산자가 만든 상품을 소비자에게 수송, 운반, 보관하는 과정

⑩ 과거에 비해 국민의 자유와 권리가 크게 　신　장　 하였다.
　　　　　　　　　　세력이나 권리가 늘어남. 또는 늘어나게 함.

⑪ 가난한 사람들에게 필요한 것은 　동　정　이 아니라 사랑이다.
　　　　　　　　남의 어려운 처지를 자기 일처럼 딱하고 가엾게 여김.

도움말▼ '서얼'은 '서자와 얼자를 아울러 이르는 말'로
'서자'는 '양반과 양민 여성 사이에서 낳은 아들'이고
'얼자'는 '양반과 천민 여성 사이에서 낳은 아들'이에요.
⑫ 조선 시대 　서　얼　들은 능력이 뛰어나더라도 벼슬길이 막혀 있었다.
　　　　　양반과 양반이 아닌 여성 사이에서 낳은 아들

⑬ 자녀를 지나치게 간섭하는 것만큼 무조건 　방　임　하는 것도 좋지 않다.
　　　　　　　　　　돌보거나 참견하지 않고 제멋대로 내버려 둠.

⑭ 정부는 도시의 인구 집중을 해결하기 위해 　신　도　시　를 건설하였다.
　　　　　　　　　　대도시 근처에 계획적으로 새로 만든 도시

77

6장 토의하여 해결해요

국어 교과서 184~211쪽

1 토의

문제가 발생했을 때 토의를 하면 문제 상황을 더 잘 이해할 수 있고 적절한 문제 해결 방법을 찾을 수 있어요.

토의의 뜻으로 알맞은 내용을 [보기]에서 찾아 써 보세요.

보기
- 어떤 문제를 여러 사람이 협력해 해결하는 방법
- 어떤 문제에 대해 찬반으로 나뉘어 상대방을 설득하는 방법

토의는 <u>어떤 문제를 여러 사람이 협력해 해결하는 방법</u> 이다.

도움말 ▲ '어떤 문제에 대해 찬반으로 나뉘어 상대를 설득하는 방법'은 '토론'이에요.

토의의 절차를 정리하려고 합니다. 빈칸에 알맞은 말을 찾아 써 보세요.

의견 모으기   주제 정하기
의견 마련하기   의견 결정하기

토의의 절차는 ❶ 토의 <u>주제 정하기</u> ➡ ❷ 자신의 <u>의견 마련하기</u>
➡ ❸ 각자 정리한 <u>의견 모으기</u> ➡ ❹ <u>의견 결정하기</u> 이다.

2 올바른 발음 학생[학쌩]

받침이 'ㄱ, ㄷ, ㅂ'로 발음되고 뒤에 된소리 쌍을 갖는 자음이 오면, 뒤에 오는 자음은 된소리로 발음해요.

된소리 쌍을 갖는 자음 → 된소리로 발음됨.
학생 → [학쌩]
'ㄱ' 받침 뒤에

16일
월
일

밑줄 친 낱말의 알맞은 발음을 찾아 ○표 하세요.

❶ 어제 아빠와 <u>농구</u> 경기를 보러 갔다. ➡ (농구) [농꾸]

❷ 점심시간에 운동장에서 <u>축구</u>를 했다. ➡ [축구] (축꾸)

❸ 친구와 주말에 만나기로 <u>약속</u>을 했다. ➡ [약속] (약쏙)

❹ 나는 매일 오후에 피아노 <u>연습</u>을 한다. ➡ (연습) [연씁]

❺ 등굣길에 만난 선생님께 <u>인사</u>를 드렸다. ➡ (인사) [인싸]

❻ 친구에게 생일 선물을 <u>직접</u> 만나서 주었다. ➡ [직접] (직쩝)

❼ 엄마께서 새로 사 주신 옷을 <u>옷장</u>에 넣었다. ➡ [옫장] (옫짱)

3 뜻이 반대인 말 다수/소수

밑줄 친 낱말과 뜻이 반대인 낱말을 [보기]에서 찾아 빈칸에 써 보세요.

보기
강화   단점   소수   불법   직접   후문   후배

❶ 민수 형은 나의 <u>선배</u>이면서 우리 형의 [후배]이다.
같은 학교를 나중에 나온 사람

❷ 체력이 <u>약화</u>되어서 운동을 통해 다시 [강화]해야겠다.
세력이나 힘을 더 강하고 튼튼하게 함.

❸ 우리 집은 학교 <u>정문</u>에서보다 학교 [후문]에서 더 가깝다.
뒷문

❹ <u>다수</u>의 의견도 중요하지만 [소수]의 의견도 존중해야 한다.
적은 수효의 사람

❺ 돈을 주고 물건을 사는 것은 <u>합법</u>이지만 훔치는 것은 [불법]이다.
법에 어긋남.

❻ 시골에 살면 공기가 좋다는 <u>장점</u>이 있지만 교통이 불편한 [단점]이 있다.
잘못되고 모자라는 점

❼ 책을 통해 <u>간접</u> 체험을 하는 것도 좋지만 [직접] 체험을 하는 것이 더 좋다.
중간에 다른 사람이나 물건 없이 바로 연결되는 관계

4 주제별 어휘 1 회의

'회의'는 여러 사람이 모여 어떤 일에 대해 다양한 의견을 나누는 것을 말해요. 회의를 하면 다양한 의견 중 가장 좋은 의견을 정할 수 있어요.

16일
월
일

빈칸에 알맞은 낱말을 [보기]에서 찾아 써 보세요.

보기
검토   논의   대책   방안   안건   협력   다수결

❶ 일을 할 때 [협력]하면 시간을 줄일 수 있다.
힘을 합하여 서로 도움.

❷ 지금까지 나온 의견들을 신중하게 [검토]해 보자.
어떤 사실이나 내용을 분석하여 따짐.

❸ 민주주의 사회에서는 [다수결]의 원칙을 존중한다.
다수의 찬성이나 반대에 따라 어떤 일을 결정하는 일

❹ 그 문제를 해결하기 위한 좋은 [방안]이 떠올랐다.
일을 처리하거나 해결하여 나갈 방법이나 계획

❺ 교무실에서 보충 수업을 [안건]으로 회의가 열렸다.
토의하거나 조사하여야 할 사실

❻ 이 문제를 해결하기 위해 서둘러 [대책]을 세워야 한다.
어떤 일에 대처할 계획이나 수단

❼ 이 상황을 어떻게 벗어날 것인지에 대해 함께 [논의]를 하자.
어떤 문제에 대하여 서로 의견을 내어 토의함.

5 주제별 어휘 2 학교

'학교'는 학생에게 교육을 실시하는 기관이에요. 학생들은 학교에서 공부를 할 뿐만 아니라 친구를 사귀고 예절을 배우는 등 다양한 활동을 해요.

✏ 빈칸에 알맞은 낱말을 [보기]에서 찾아 넣어 낱말의 뜻풀이를 완성해 보세요.

보기

| 교육 | 교실 | 기념 | 목표 | 전체 | 자격 | 주체 |

전교생
한 학교의
[전체] 학생

교훈
학교의 이념이나
[목표]를
나타내는 짧은 말

학급
한 [교실]에서
공부하는 학생의
단위 집단

학교
학생에게 [교육]을
실시하는 기관

학생회
학생이 [주체]가
되어 어떤 일을 결정하고
실행하는 조직

교사
일정한 [자격]을
가지고 학생을
가르치는 사람

개교기념일
학교를 세워 교육을
시작한 날을
[기념]하는 날

84

6 주제별 어휘 3 교통

'교통'은 자동차, 기차 따위를 이용하여 사람이 오고 가거나, 짐을 실어 나르는 일을 뜻하는 말이에요. 교통의 발달은 인간의 삶에 다양한 영향을 끼쳐 왔어요.

✏ 빈칸에 알맞은 낱말을 [보기]에서 찾아 써 보세요.

보기

| 단속 | 건널목 | 교차로 | 주정차 | 교통사고 | 교통안전 |

❶ [주정차] 된 차들로 인해 통행이 불편하다.
차를 일정한 곳에 세우는 것과 차를 멈추는 것을 아우르는 말
도움말 ▼ '속도위반'은 '교통 법규상 제한되어 있는 차량의 속도를 넘어 속력을 내는 일'이에요.

❷ 학교 앞에서 속도위반 차량을 [단속] 하고 있다.
규칙이나 법령, 명령 따위를 지키도록 통제함.

❸ [교통안전] 을 충분히 고려하여 도로를 만들어야 한다.
교통질서를 잘 지켜 사고가 일어나지 않도록 방지하는 것

❹ 표지판을 설치한 이후 [교통사고] 가 많이 줄어들었다.
움직이는 차가 사람을 치거나 다른 차에 부딪치는 것

❺ [교차로] 를 건널 때에는 주위를 잘 살피며 길을 건너야 한다.
두 길이 엇갈린 곳. 또는 서로 엇갈린 길
도움말 ▼ '건널목'은 '횡단보도'와 바꿔 쓸 수 있어요.

❻ 나는 [건널목] 에서 신호가 녹색으로 바뀌기를 기다리고 있었다.
강, 길, 내 따위에서 건너다니게 된 일정한 곳

85

7 뜻이 여러 가지인 말 모으다

✏ 밑줄 친 낱말의 알맞은 뜻을 찾아 번호를 써 보세요.

모으다
① 한데 합치다.
② 특별한 물건을 구하여 갖추어 가지다.
③ 돈이나 재물을 써 버리지 않고 쌓아 두다.
④ 정신, 의견 따위를 한곳에 집중하다.
도움말 '모으다'는 '다른 이들의 관심이나 흥미를 끌다.'라는 뜻도 있어요.
예) 사람들의 시선을 모으다.

❶ 진경이는 우표를 모으는 취미를 가지고 있다. ⇨ ②

❷ 정신을 다시 모으고 읽던 책을 계속 읽었다. ⇨ ④

❸ 형은 미간을 모으면서 고개를 자꾸만 갸웃거렸다. ⇨ ①

❹ 할아버지는 아주 오래전부터 골동품을 사 모으셨다. ⇨ ②

❺ 그는 바빠서 빨래를 모아 주말에 한꺼번에 처리한다. ⇨ ①

❻ 여러 사람의 의견을 모아 해결 방법을 찾아보도록 하자. ⇨ ④

❼ 우리들은 조금씩 돈을 모아 불우 이웃 돕기 성금으로 내놓았다. ⇨ ③

86

8 헷갈리기 쉬운 말 −든지/−던지

'−던지'는 과거에 한 행동에 대하여 생각하거나 추측할 때 쓰는 말이고, '−든지'는 어느 것이든 선택될 수 있음을 나타낼 때 쓰는 말이에요.

먹든지 말든지 마음대로 해라.
선택
그는 배가 고팠던지 밥을 먹었다.
생각
도움말 ▲ '든지'는 '사람이나 사물의 이름을 나타내는 말' 뒤에 붙어서 어느 것이든 선택될 수 있음을 나타내기도 해요.
예) 나는 딸기든지 포도든지 과일은 다 좋다.

✏ 자연스러운 문장이 되도록 알맞은 낱말을 찾아 ○표 하세요.

❶ 무엇을 (먹던지 /(먹든지)) 맛있게 먹어라.

❷ 어디에 (살던지 /(살든지)) 절대로 나를 잊지는 마라.

❸ 나는 그곳에 왜 (갔든지 /(갔던지)) 생각이 나지 않았다.

❹ 동생은 몸이 ((피곤했던지)/ 피곤했든지) 종일 잠을 잤다.

❺ 한참 운동을 계속했으니까, 잠시 (쉬던지 /(쉬든지)) 해라.

❻ 영화가 얼마나 ((재미있었던지)/ 재미있었든지) 지금도 웃음이 난다.

❼ 동생은 배가 많이 ((고팠던지)/ 고팠든지) 밥을 두 그릇이나 먹었다.

87

9 낱말 퀴즈

✏️ 빈칸에 알맞은 낱말을 써서 문장을 완성해 보세요.

❶ 지난주에 도서관에서 대 출 한 책을 오늘 반납했다.
　　　　　　　　　　돈이나 물건 따위를 빌려주거나 빌린

　　　　　도움말▼ '따분하다'는 '갑갑하다'와 바꿔 쓸 수 있어요.
❷ 아무도 없는 집에 혼자 있으니 매우 따 분 하 다.
　　　　　　　　　　　　　　　지루하고 답답하다.

❸ 봉사 활동은 꾸준하게 참 여 하 는 것이 중요하다.
　　　　　　　　　　어떤 일에 끼어들어 함께 일하는

❹ 선생님은 정현이의 발표를 듣고 흡 족 한 표정을 지으셨다.
　　　　　　　　　　　　　부족함이 없이 마음에 들어 좋은

　　　　　도움말▼ '막바지'는 '일이 거의 다 끝나 가는 단계'를
　　　　　　　　　　뜻하는 말이에요.
❺ 축구 경기가 막바지에 이르자 점점 흥 미 롭 게 진행되었다.
　　　　　　　　　　　　　　　흥을 느끼는 재미가 있게

❻ 더 나은 내일을 맞이하기 위해서는 오늘을 귀 중 히 보내야 한다.
　　　　　　　　　　　　　　　　　가치나 중요성이 크게

❼ 아이들은 방학 동안 누가 더 많이 자랐는지 서로 키를 견 주 어 보았다.
　　　　　　　　　　　　　　　　　　　　둘 이상의 사물을 마주 놓고 비교하여

88

✏️ 빈칸에 알맞은 낱말을 주어진 글자 카드로 만들어 써 보세요.

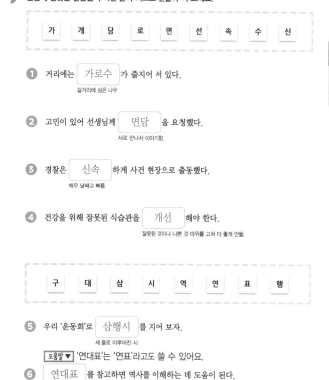

| 가 | 개 | 담 | 로 | 면 | 선 | 속 | 수 | 신 |

18일
○ 월
○ 일

❶ 거리에는 가로수 가 줄지어 서 있다.
　　　　　　길거리에 심은 나무

❷ 고민이 있어 선생님께 면담 을 요청했다.
　　　　　　　　　　서로 만나서 이야기함.

❸ 경찰은 신속 하게 사건 현장으로 출동했다.
　　　　　　매우 날쌔고 빠름.

❹ 건강을 위해 잘못된 식습관을 개선 해야 한다.
　　　　　　　　　　　잘못된 것이나 나쁜 것 따위를 고쳐 더 좋게 만듦.

| 구 | 대 | 삼 | 시 | 역 | 연 | 표 | 행 |

❺ 우리 '운동회'로 삼행시 를 지어 보자.
　　　　　　　　　세 줄로 이루어진 시

　　도움말▼ '연대표'는 '연표'라고도 쓸 수 있어요.
❻ 연대표 를 참고하면 역사를 이해하는 데 도움이 된다.
　　　역사상 발생한 사건을 시간순으로 배열하여 적은 표

❼ 어린이 보호 구역 에서는 자동차의 주행 속도를 줄여야 한다.
　　　　　　　　　갈라놓은 지역

89

---

10 타교과 어휘 과학

✏️ 주어진 뜻에 알맞은 낱말을 찾아 ○표 하세요.

❶ 영양이 되는 성분　　　　　　　➡　양성　　(양분)

❷ 태양의 주위를 도는 둥근 천체　➡　위성　　(행성)

　　　　　　도움말▼ '순회'는 '여러 곳을
　　　　　　　　　　돌아다님.'을 뜻하는 말이에요.
❸ 일정한 간격을 두고 자꾸 되풀이하여 돎.　➡　(순환)　　순회

❹ 부서지거나 망가져 못 쓰게 되어 남아 있는
　　물체　　　　　　　　　　　➡　유해　　(잔해)

❺ 전파를 이용하여 물체를 탐지하고 거리를 측
　　정하는 장치　　　　　　　➡　(레이더)　　레이저

❻ 태양을 중심으로 타원이나 포물선을 그리며
　　도는, 꼬리가 달린 천체　　➡　(혜성)　　소행성

　　　　도움말▼ '측량'은 '기기를 사용하여
　　　　　　　　물건의 높이, 깊이, 넓이, 방향 등을
　　　　　　　　잼.'을 뜻하는 말이에요.
❼ 눈이나 기계로 자연 현상을 자세히 살펴보아
　　어떤 사실을 짐작하거나 알아냄.　➡　(관측)　　측량

90

✏️ 빈칸에 알맞은 낱말을 써서 문장을 완성해 보세요.

❶ 설탕은 물에 잘 용 해 되는 성질이 있다.
　　　　　　어떤 물질이 다른 물질에 녹아 골고루 섞이는 현상

18일
○ 월
○ 일

❷ 이 탄산수에는 다량의 미네랄이 포 함 되어 있다.
　　　　　　　　　어떤 무리나 범위에 함께 들어 있거나 함께 넣음.

❸ 오래된 고기에서 식중독을 일으키는 균이 검 출 되었다.
　　　　　　　　　　주로 해로운 성분이나 요소 등을
　　　　　　　　　　검사하여 찾아내는 일

❹ 운동이 끝나고 분 말 주 스 를 물에 타서 마셨다.
　　　　　　　물을 부어서 주스로 만들어 먹는 가루, 또는 그 주스

　　　도움말▼ 소금물에서, 소금물은 용액이고
　　　　　　　소금은 용질, 물은 용매예요.
❺ 용액에서, 녹아 있는 물질은 용 질 이고, 녹인 액체는 용매이다.
　　　　　　　녹는 물질

❻ 뼈 건강을 위해서는 칼슘 성 분 이 들어 있는 음식물을 많이 먹어야 한다.
　　　　　　　　　　　　화합물이나 혼합물을 구성하는 각각의 원소나 물질

❼ 운동선수들은 경기 전이나 후에 도 핑 테 스 트 를 받는다.
　　　　　　　　　　　　　운동선수가 약물을 사용했는지의 여부를 검사하는 일

91

7장 기행문을 써요

🚶 국어 교과서 212~233쪽

1 주제별 어휘 1 기행

> 여행을 다녀와서 보고 느낀 것을 기록하면 여행의 감격과 느낌을 오래 새겨 둘 수 있고, 다른 사람에게 여행지에 대한 간접 경험의 기회와 정보를 줄 수 있어요.

✏️ 다음 문장에 알맞은 낱말을 찾아 ○표 하세요.

1. 여행을 하면 (견문 / 견적)을 넓힐 수 있다.
   여행하며 보거나 들은 것

2. 글을 쓰기 전에 (개요 / 전개)를 작성해야 한다.
   주요 내용을 간략히 정리한 것

3. 그곳에서의 (인상 / 감상)을 오래 기억하고 싶다.
   여행하며 든 생각이나 느낌

4. 우리 반은 내일 박물관으로 (견학 / 경험)을 간다.
   어떤 일과 관련된 곳을 실제로 찾아가서 보고 배움.

5. 우리는 2박 3일의 (시간 / 여정)으로 경주를 다녀왔다.
   여행의 과정이나 일정

> 도움말 ▼ '보고서'는 '연구하거나 조사한 것의 내용이나 결과를 알리는 문서나 글'이에요.

6. 설악산을 다녀와서 쓴 (기행문 / 보고서)을 읽으니 그때의 기억이 떠올랐다.
   여행하면서 보고, 듣고, 느끼고, 겪은 것을 적은 글

94

2 주제별 어휘 2 분위기

> '분위기'는 '그 자리나 장면에서 느껴지는 기분'이나 '어떤 사람이나 사물이 지니는 독특한 느낌'을 의미해요.

✏️ 밑줄 친 말을 [보기]에서 찾아 한 낱말로 바꿔 써 보세요.

> **보기**
> 성스럽다　　싱그럽다　　아늑하다　　아름답다
> 엄숙하다　　웅장하다　　신령스럽다

1. 여름의 풍경이 <u>싱싱하며 맑고 향기롭다</u>. ⇨ 싱그럽다

2. 오래된 느티나무가 <u>신기하고 묘한 데</u>가 있다. ⇨ 신령스럽다

3. 성당에서 치르는 결혼식은 분위기가 <u>무겁고 조용하다</u>. ⇨ 엄숙하다
   > 도움말 ▼ '웅장하다'는 '으리으리하다'와 바꿔 쓸 수 있어요.

4. 이 건물은 화려하면서 <u>크기가 무척 크고 무게가 있다</u>. ⇨ 웅장하다

5. 그 성모상은 <u>함부로 가까이할 수 없을 만큼 거룩하다</u>. ⇨ 성스럽다

6. 한라산의 경치가 <u>눈과 귀에 즐거움과 만족을 줄 만하다</u>. ⇨ 아름답다

7. 방안의 분위기가 <u>따뜻하고 편안하며 조용한 느낌</u>이 있다. ⇨ 아늑하다

95

3 주제별 어휘 3 산

> 가파른 산길을 따라 산을 오르다 보면 웅장하고 아름다운 자연과 마주하게 돼요. 많은 사람들은 자연이 주는 평안함과 즐거움을 얻기 위해 산을 찾아요.

✏️ 밑줄 친 낱말에 알맞은 뜻을 찾아 연결하세요.

1. 버스가 <u>산비탈</u>을 따라 올라갔다. ● ● 폭이 좁고 조용한 길

2. 산 정상에 올라 <u>기암</u>을 감상했다. ● ● 기이하게 생긴 바위

3. 등산객들은 <u>능선</u>을 따라 산을 올랐다. ● ● 물이 흐르는 골짜기
   > 도움말 ▼ '절벽'은 '낭떠러지'와 바꿔 쓸 수 있어요.

4. <u>절벽</u>에서 아래를 내려다보니 아찔했다. ● ● 산의 등줄기를 따라 죽 이어진 선

5. <u>폭포</u>가 큰 소리를 내며 쏟아지고 있다. ● ● 산속의 비스듬히 기울어진 곳

6. 비가 온 뒤라 <u>계곡</u>에 물이 많이 불었다. ● ● 벼랑에서 세차게 쏟아져 내리는 물줄기

7. 나는 주말마다 아빠와 뒷산에 올라 <u>오솔길</u>을 산책한다. ● ● 바위가 깎아 세운 것처럼 아주 높이 솟아 있는 험한 낭떠러지

96

4 주제별 어휘 4 비행

> 공항에는 하루에도 수많은 항공기가 뜨고 내려요. 공항의 엄격한 관리와 통제에 따라 많은 항공기들이 비행을 시도해요.

✏️ 빈칸에 알맞은 낱말을 [보기]에서 찾아 써 보세요.

> **보기**
> 기장　　선회　　운항　　관제탑　　승무원　　활주로

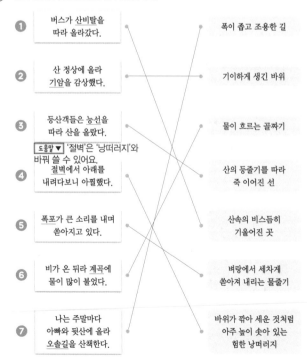

활주로
비행장에서 비행기가 뜨거나 내릴 때 달리는 길

기장
비행기를 조종하면서 운행을 책임지는 사람

비행
공중으로 날아가거나 날아다님.

선회
항공기가 곡선을 그리듯 진로를 바꿈.

승무원
운행과 승객에 관한 일을 맡아서 하는 사람

운항
배나 비행기가 정해진 길이나 목적지를 오고 감.

관제탑
비행기가 뜨고 내리는 것을 지시하고 비행장 안을 통제하는 탑

97

5 뜻을 더하는 말 1 치-

'치-'는 '위로 향하게' 또는 '위로 올려'의 뜻을 더하는 말이에요.

✎ 주어진 뜻에 알맞은 낱말을 써 보세요.

❶ 아래에서 위로 훑다. ⇨ 치 훑 다

❷ 눈을 위쪽으로 뜨다. ⇨ 치 뜨 다

❸ 위쪽으로 힘차게 솟다. ⇨ 치 솟 다

❹ 밑에서 위쪽으로 글을 읽다. ⇨ 치 읽 다

❺ 아래에서 위쪽을 향하여 받다. ⇨ 치 받 다

도움말 ▲ '치받다'는 '욕심, 분노 따위의 감정이 세차게 북받쳐 오르다.'라는 뜻으로도 쓰여요.

❻ 아래에서 위로 힘차게 솟아오르다. ⇨ 치 밀 다

❼ 위쪽으로 달리거나 달려 올라가다. ⇨ 치 닫 다

98

6 뜻을 더하는 말 2 -지

'-지'는 '장소'의 뜻을 더하는 말이에요.

✎ 밑줄 친 부분을 하나의 낱말로 바꿔 써 보세요.

❶ 관광할 만한 장소를 추천해 주세요. ⇨ 관 광 지

❷ 목적으로 삼는 데가 어디 입니까? ⇨ 목 적 지

❸ 경주에는 신라의 역사적 자취가 남은 장소가 많다. ⇨ 유 적 지

❹ 여행하는 곳 중에 가장 좋아하는 곳은 어디입니까? ⇨ 여 행 지

도움말 ▼ '거주지'는 '거주소'라고도 써요.
❺ 현재 살고 있는 장소가 바뀌면 동사무소에 신고해야 한다. ⇨ 거 주 지

❻ 나는 한 번도 이사가지 않고 태어난 곳에서 쭉 살고 있다. ⇨ 출 생 지

도움말 ▼ '휴양지'는 '휴양처'라고도 써요.
❼ 제주도는 편안히 쉬면서 몸과 마음을 돌보기에 알맞은 곳이다. ⇨ 휴 양 지

99

7 바꿔 쓸 수 있는 말 상공

✎ 밑줄 친 낱말과 바꿔 쓸 수 있는 낱말을 [보기]에서 찾아 써 보세요.

보기
멋 경치 빨래 비탈 자리 하늘 화구

도움말 ▼ '분화구'는 '화산구'라고도 해요.
❶ 산 정상에 올라 분화구를 내려다보았다. ⇨ 화구
화산이 터질 때 용암과 화산 가스 따위를 내뿜는 구멍

도움말 ▼ '풍광'은 '풍경'과도 바꿔 쓸 수 있어요.
❷ 아름다운 자연의 풍광에 감동을 받았다. ⇨ 경치
산이나 들, 강, 바다 따위의 자연이나 지역의 모습

❸ 소라는 말끔하고 맵시 있는 옷차림이었다. ⇨ 멋
아름답고 보기 좋은 모양새

❹ 상공에 높이 떠 있는 연을 한참 동안 바라보았다. ⇨ 하늘
높은 공중

❺ 우리는 등산을 하다가 산의 경사면에 앉아서 잠시 쉬었다. ⇨ 비탈
비스듬히 기울어진 면

❻ 내가 아끼는 옷이 세탁 후 크기가 줄어들어 못 입게 되었다. ⇨ 빨래
더러운 옷 따위를 빠는 일

❼ 얼마나 피곤했던지 그는 지하철 좌석에 앉자마자 잠이 들었다. ⇨ 자리

100

8 합쳐진 말 숯가마

둘 이상의 낱말을 더해 새로운 낱말을 만들 수 있어요. '숯가마'는 '숯'과 '가마'가 합쳐진 말이에요. 이렇게 낱말과 낱말이 합쳐진 말을 '합성어'라고 해요.

숯 + 가마 = 숯가마
숯을 구워 내는 가마

✎ 글자 카드를 왼쪽에서 하나, 오른쪽에서 하나씩 꺼내 뜻에 알맞은 낱말을 써 보세요.

자연 돌 솔 물 밭 창 국제

계단 밭 공항 작물 밖 환경 놀이

❶ 창문의 밖 ⇨ 창밖

❷ 돌로 쌓아 만든 층계 ⇨ 돌계단

❸ 밭에서 거두는 농작물 ⇨ 밭작물
도움말 ▲ '논에서 거두는 농작물'은 '논작물'이에요.

❹ 물가나 물속에서 하는 놀이 ⇨ 물놀이

❺ 소나무가 많이 들어서 있는 땅 ⇨ 솔밭

❻ 자연계의 모든 요소가 이루는 환경 ⇨ 자연환경

❼ 여러 나라의 비행기가 뜨고 내릴 수 있도록 나라에서 지정한 공항 ⇨ 국제공항

101

9 잘못 쓰기 쉬운 말 잔디

✏️ 밑줄 친 낱말을 알맞게 고쳐 써 보세요.

① 학교 운동장에 인공 <u>잔듸</u>를 깔았다. ⇨ 잔디

② 북한산 서쪽 <u>기슭</u>에 진달래가 피었다. ⇨ 기슭
산이나 처마 따위에서 경사진 곳의 아랫부분

③ 밖을 내다보려고 창가에 <u>받짝</u> 다가앉았다. ⇨ 바짝
매우 가까이 달라붙는 모양

④ 청계천 <u>일때</u>는 축제를 즐기는 사람들로 붐빈다. ⇨ 일대
어느 지역의 전부

> **도움말▼** '홀연히'는 '홀연'으로도 써요.

⑤ 그는 친구들에게 인사도 없이 <u>호련히</u> 전학을 갔다. ⇨ 홀연히
뜻하지 아니하게 갑자기

⑥ 희진이는 책을 읽으며 친구를 <u>느긋히</u> 기다리고 있다. ⇨ 느긋이
서두르지 않고 마음의 여유가 있게

⑦ 소풍 전날은 설레임이 가득해서 잠이 잘 오지 않는다. ⇨ 설렘
마음이 가라앉지 아니하고 들떠서 두근거림.

10 움직임을 나타내는 말 만끽하다

✏️ 밑줄 친 낱말의 알맞은 뜻을 찾아 번호를 써 보세요.

① 그녀는 휴가를 얻어 오랜만에 여유를 <u>만끽했다</u>. (②)
① 자기 것으로 하였다.
② 느낌이나 기분을 마음껏 즐겼다.
> **도움말▲** '자기 것으로 하다.'를 뜻하는 낱말은 '가지다'예요.

② 기차를 탈 때면 나는 창가 쪽 자리를 <u>선호한다</u>. (②)
① 여럿 가운데서 하나를 구별하여 고른다.
② 여럿 가운데서 특별히 가려서 좋아한다.

③ 차창으로 들과 산의 모습이 <u>섞바뀌어</u> 나타났다. (①)
① 서로 번갈아 차례를 바뀌어
② 무엇이 다른 것이 되거나 혹은 다른 성질로 달라져

④ 먼저 결승선에 들어오는 선수가 우승을 <u>차지한다</u>. (②)
① 물건, 일 따위를 남에게 주거나 맡긴다.
② 사물이나 공간, 지위 따위를 자기 몫으로 가진다.

⑤ 벽에 걸려 있던 그림이 다른 그림으로 <u>교체되었다</u>. (①)
① 사람이나 사물이 다른 것으로 대체되었다.
② 잘못된 것이 바로잡히거나 다듬어져 바르게 고쳐졌다.
> **도움말▲** '잘못된 것이 바로잡히거나 다듬어져 바르게 고쳐지다.'를 뜻하는 낱말은 '수정되다'예요.

⑥ 아픈 사람을 <u>제외한</u> 나머지는 모두 운동장을 달렸다. (①)
① 따로 떼어 내어 한데 헤아리지 아니한
② 어떤 무리나 범위에 함께 들어가게 하거나 함께 넣은

11 (타교과 어휘) 도덕

✏️ 빈칸에 알맞은 낱말을 써서 문장을 완성해 보세요.

① 만병의 [근][원] 은 자신의 마음에 있다.
어떤 일이 생기게 되는 바탕이나 원인

② 호정이는 벅차오르는 [감][정] 을 좀처럼 누를 수가 없었다.
일이나 대상에 대하여 드는 마음이나 기분

> **도움말▼** '탐욕'은 '탐'과 바꿔 쓸 수 있어요.
③ 성호는 음식에 너무 [탐][욕] 을 부리다가 탈이 나고 말았다.
지나치게 많이 가지고 싶어 하는 욕심

④ 찬영이의 거짓말이 선생님의 [노][여][움] 을 사게 되었다.
몹시 불쾌하여 화가 난 감정

⑤ 범인은 [죄][의][식] 과 미안함 때문에 고개를 들지 못했다.
자신의 죄나 잘못에 대하여 스스로 느끼고 깨닫는 마음

⑥ 기업은 다양한 소비자의 [욕][구] 를 만족시키기 위해 노력하고 있다.
어떤 것을 얻거나 어떤 일을 하고자 바라는 것

⑦ 영수는 항상 자기가 어리석고 못났다는 [열][등][감] 에 빠져 있었다.
자신이 남보다 뒤떨어졌다고 낮추어 평가하는 감정

> **도움말▼** '퇴임'은 '취임'과 뜻이 반대인 말로 '맡은 자리에서 물러남.'이라는 뜻이에요.

⑧ 새 병원장의 [취][임] 이 이제 일주일 앞으로 다가왔다.
새로 맡은 일을 하기 위해 맡은 자리에 처음으로 나아감.

⑨ 민수는 학급의 일에 항상 [적][극][적] 으로 나선다.
어떤 일에 대한 태도가 자발적인 것

⑩ 그는 자신을 내쫓으려는 집주인에게 [자][비] 를 구했다.
남을 깊이 사랑하고 불쌍하게 여겨서 베푸는 혜택

⑪ 정현이는 [조][심][성] 없이 덜렁거려서 툭하면 넘어지곤 한다.
말이나 행동 등에 주의하는 성질이나 태도

⑫ 그는 지금처럼 성공하기까지 실패로 인한 많은 [좌][절] 을 겪었다.
마음이나 기운이 꺾임.

⑬ 다른 사람은 생각하지 않고 자기만 생각하는 것을 [경][계] 해야 한다.
잘못된 행동이나 생각을 하지 않도록 주의함.

⑭ 같은 문제가 계속 발생하지 않도록 보다 [근][본][적] 대책이 필요하다.
어떤 것의 본질이나 바탕이 되는 것

8장 아는 것과 새롭게 안 것

📖 국어 교과서 234~269쪽

1 낱말의 짜임 1

'하늘'은 '하'와 '늘'로 나누면 더 이상 의미를 가지지 않아요. 하지만 '손수레'나 '풋사과'는 '손'과 '수레', '풋'과 '사과'로 나눠도 각각이 의미를 가지고 있어요.

하늘	손수레 = 손 + 수레	풋사과 = 풋- + 사과
나눌 수 없음.	나눌 수 있음.	나눌 수 있음.

✏️ 다음 낱말들을 나눌 수 없는 말과 나눌 수 있는 말로 나눠 써 보세요.

> 사과나무   풋사과   가위   손수레
> 하늘   햇밤   사자
> 복숭아   바다

나눌 수 없는 말	나눌 수 있는 말
하늘, 사자, 바다, 복숭아, 가위	사과나무, 풋사과, 햇밤, 손수레

도움말 ▲ '나눌 수 있는 말'은 또다시 '낱말과 낱말을 합한 것'과 '뜻을 더해 주는 말과 뜻이 있는 낱말을 합한 것'으로 나눌 수 있어요.

더 알아두기 더 이상 나눌 수 없는 말을 '단일어'라고 하고, 나눠도 각각의 말이 의미를 지니고 있는 말을 '복합어'라고 해요.

108

2 낱말의 짜임 2

'눈사람'은 '눈'과 '사람'을 합한 말이고 '뛰놀다'는 '뛰다'와 '놀다'를 합한 말이에요. '맨손'은 '다른 것이 없는'의 뜻을 더하는 '맨-'과 뜻이 있는 낱말 '손'을 합한 말이에요.

눈사람 = 눈 + 사람	뛰놀다 = 뛰다 + 놀다	맨손 = 맨- + 손
낱말 + 낱말	낱말 + 낱말	뜻을 더하는 말 + 낱말

22일
월
일

✏️ 다음 낱말들을 '낱말 + 낱말'과 '뜻을 더해 주는 말+낱말'로 나눠 써 보세요.

> 눈사람   바늘방석   검붉다   잠꾸러기
> 덧신   김밥
> 뛰놀다   나무꾼   맨손   새우잠

낱말 + 낱말	뜻을 더해 주는 말 + 낱말
김밥, 검붉다, 눈사람, 뛰놀다, 새우잠, 바늘방석	덧신, 맨손, 나무꾼, 잠꾸러기
도움말 ▲ '바늘방석'은 '앉아 있기에 매우 불안스러운 자리'를 이르는 말이에요.	도움말 ▲ '나무꾼'은 낱말 '나무'에 '어떤 일을 전문적으로 하는 사람'이라는 뜻을 더하는 말 '-꾼'이 붙은 말이에요.

더 알아두기 낱말과 낱말을 합한 것을 '합성어'라고 하고 뜻을 더해 주는 말과 뜻이 있는 낱말을 합한 것을 '파생어'라고 해요.

109

3 뜻을 더하는 말 햇-

'햇곡식'은 '당해에 새로 난 곡식'을 말해요.

햇곡식 = 햇- + 곡식

✏️ 다음 뜻을 더하는 말의 알맞은 뜻을 찾아 연결하세요.

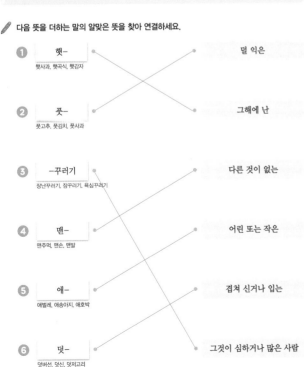

❶ 햇-		덜 익은
햇사과, 햇곡식, 햇감자		
❷ 풋-		그해에 난
풋고추, 풋김치, 풋사과		
❸ -꾸러기		다른 것이 없는
장난꾸러기, 잠꾸러기, 욕심꾸러기		
❹ 맨-		어린 또는 작은
맨주먹, 맨손, 맨발		
❺ 애-		겹쳐 신거나 입는
애벌레, 애송아지, 애호박		
❻ 덧-		그것이 심하거나 많은 사람
덧버선, 덧신, 덧저고리		

110

4 움직임을 나타내는 말 값하다

✏️ 밑줄 친 낱말의 알맞은 뜻을 찾아 번호를 써 보세요.

❶ 그는 아름다운 그녀의 미모에 취하고 말았다.   (①)
① 무엇이나 깊이 빠져 마음을 빼앗기고
② 놀라거나 두려워서 기가 막히거나 풀이 꺾이고
도움말 ▲ '놀라거나 두려워서 기가 막히거나 풀이 꺾이다.'라는 뜻을 가진 말은 '질리다'예요.

22일
월
일

❷ 다음 주는 내 생일이라 벌써부터 마음이 들뜬다.   (②)
① 몹시 소란스럽고 어지러운 일이 가라앉는다.
② 마음이나 분위기가 가라앉지 아니하고 조금 흥분된다.

❸ 내가 좋아하는 가수의 공연을 보니 감동이 밀려왔다.   (②)
① 없던 것이 있게 되었다.
② 한꺼번에 많이 몰려서 왔다.

❹ 그곳은 호텔이라는 이름에 값하는 호화로운 숙소였다.   (①)
① 어떤 것의 가치에 맞는
② 물건 따위가 상당히 가치가 있는
도움말 ▲ '물건 따위가 상당히 가치가 있다.'라는 뜻을 가진 말은 '값있다.'예요.

❺ 해가 지니 앞이 잘 보이지 않아 하산할 일이 막막했다.   (①)
① 산에서 내려오거나 내려갈
② 한곳을 중심으로 하여 모일

❻ 지난겨울에 다녀온 가족 여행의 기억을 그대로 간직하고 있다.   (②)
① 거두어 모으고
② 기억 따위를 마음속에 깊이 지니고

111

5 행동을 하게 하는 말 녹이다

✏️ 주어진 낱말을 참고하여 문장에 알맞은 낱말을 찾아 ○표 하세요.

1 녹다 — 징과 꽹과리는 쇠를 (**녹여** / 녹혀) 만든 악기이다.

2 늘다 — 우리 동아리는 학생 수를 작년보다 (**늘였다** / 늘렸다).
> 도움말 ▲ '늘이다'는 '원래보다 더 길어지게 하다.'라는 뜻이에요.

3 살다 — 수의사는 꺼져 가는 작은 생명을 (**살려** / 살여) 냈다.

4 쓰다 — 장구는 나무통을 깎은 후 가죽을 (씌여 / **씌워**) 만든다.

5 눕다 — 그가 잠든 아기를 조심스럽게 침대에 (**누이다** / 뉘우다).

6 붙다 — 정아는 메모지를 책상에 덕지덕지 (**붙여** / 붙혀) 두었다.

7 돋다 — 힘든 농사일에 흥을 (돋구기 / **돋우기**) 위해 풍물놀이를 했다.
감정이 생겨나게 하기

112

---

6 주제별 어휘 1 음악

23일
○ 월
○ 일

> '음악'은 박자, 가락, 음성 따위의 형식으로 조화하고 결합하여, 목소리나 악기를 통하여 사상이나 감정을 나타내는 예술이에요.

✏️ 빈칸에 알맞은 낱말을 [보기]에서 찾아 써 보세요.

보기

| 공명 | 공연 | 민요 | 선율 | 연주 | 장단 | 지휘자 |

1 동생은 **장단** 에 맞추어 춤을 추었다.
춤, 노래 따위의 빠르기를 조절하는 박자

2 우리 **민요** 에는 조상들의 숨결이 스며 있다.
예로부터 민중 사이에 불려 오던 전통적인 노래를 통틀어 이르는 말

> 도움말 ▼ '공명'은 '울림'과 바꿔 쓸 수 있어요.

3 음악가가 기타 줄을 퉁기니 **공명** 이 일어났다.
외부 음파에 자극을 받아 그와 같은 소리를 내는 것

4 시민 합창단은 **지휘자** 의 손짓에 따라 노래를 불렀다.
노래나 연주를 앞에서 조화롭게 이끄는 사람

5 나는 어디선가 들려오는 피아노의 **선율** 에 귀를 쫑긋했다.
소리의 높낮이가 길이나 리듬과 어울려 나타나는 음의 흐름

6 형은 여러 악기를 잘 다루지만 특히 드럼 **연주** 에 능숙하다.
악기를 다루어 곡을 표현하거나 들려주는 일

7 다음 달에 예정되어 있는 **공연** 을 위해 무용 연습을 매일 한다.
음악, 무용 따위를 많은 사람 앞에서 보이는 일

113

---

7 주제별 어휘 2 생물

> '생물'은 '생명이 있는 동물과 식물'을 이르는 말이에요. 다양한 생물들은 일정한 지역이나 환경에서 서로 적응하고 관계를 맺으며 조화롭게 살아가요.

✏️ 빈칸에 알맞은 글자를 [보기]에서 찾아 밑줄 친 낱말을 완성해 보세요.

보기

| 깃 | 멸 | 생 | 식 | 연 | 토 | 표 |

1 □종 민들레가 점점 사라져 가고 있다. ⇨ | 토 | 종 |
원래부터 그곳에서 나는 종자
> 도움말 ▲ '토종'은 '대대로 그 땅에서 나서 오래도록 살아 내려오는 사람'이라는 뜻도 있어요.

2 □종 위기에 빠진 반달곰을 지켜야 한다. ⇨ | 멸 | 종 |
생물의 한 종류가 아주 없어짐

3 속리산의 □대종은 하늘다람쥐이다. ⇨ | 깃 | 대 | 종 |
어느 지역의 대표가 되는 동식물의 종

4 어름치, 열목어 등은 1급수의 지□종이다. ⇨ | 지 | 표 | 종 |
특정한 환경 조건을 나타내는 생물

5 숲이 파괴되면서 새들의 서□지가 사라졌다. ⇨ | 서 | 식 | 지 |
생물 따위가 일정한 곳에 자리를 잡고 사는 곳

6 먹이가 부족하면 생물 간 □존 경쟁이 심해진다. ⇨ | 생 | 존 | 경 | 쟁 |
생물들이 살아남기 위해 서로 다투는 것

7 두루미는 천□기념물로 지정되어 있다. ⇨ | 천 | 연 | 기 | 념 | 물 |
자연 가운데 매우 중요하고 특수하여 법으로 정하여 보호하는 것

114

---

8 주제별 어휘 3 바람

23일
○ 월
○ 일

> '바람'은 '공기의 움직임'을 뜻하는 말이에요. 우리 조상들은 계절에 따라 바람을 구분했고, 바람이 강하고 약하게 부는 정도에 따라 바람의 이름을 여러 가지로 불렀어요.

✏️ 빈칸에 알맞은 낱말을 [보기]에서 찾아 써 보세요.

보기

| 남풍 | 동풍 | 된바람 | 실바람 | 노대바람 | 하늬바람 |

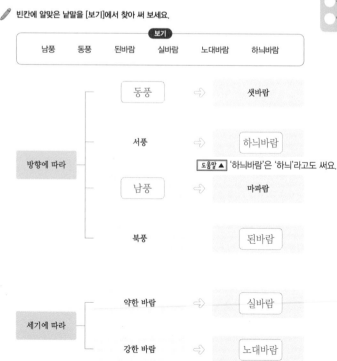

방향에 따라

동풍 ⇨ 샛바람

서풍 ⇨ **하늬바람**
> 도움말 ▲ '하늬바람'은 '하늬'라고도 써요.

남풍 ⇨ 마파람

북풍 ⇨ **된바람**

세기에 따라

약한 바람 ⇨ **실바람**

강한 바람 ⇨ **노대바람**

115

9 성질이나 상태를 나타내는 말 광대하다

✎ 빈칸에 들어갈 낱말을 [보기]에서 찾아 알맞게 활용하여 써 보세요.

보기
광대하다	그윽하다	묵직하다	우렁차다
탄탄하다	평온하다	청아하다	

1 축구 선수들은 몸의 근육이 매우 탄탄하다 .
무르거나 느슨하지 않고 아주 단단하고 굳세다.

2 아기가 잠든 얼굴이 아주 평온해 보인다.
걱정이나 탈이 없고 조용해

도움말▼ '광대하다'는 '너르다'와 바꿔 쓸 수 있어요.

3 광대한 평원을 보니 가슴이 뻥 뚫리는 것 같다.
크고 넓은

4 공연이 끝나자 박수 소리가 우렁차게 터져 나왔다.
소리의 울림이 매우 크고 힘차게

5 숲에서 꾀꼬리의 울음소리가 매우 청아하게 들려온다.
작은 흠도 없이 맑고 아름답게

6 이 상자는 보기에는 가벼워 보였는데 들어 보니 꽤 묵직하다 .
다소 큰 물건이 보기보다 꽤 무겁다.

7 아버지의 친구분이 선물한 난은 맑고 그윽한 향기를 풍긴다.
주는 인상이나 느낌이 야단스럽지 않은

116

---

10 외래어 표기 에어컨

✎ 다음 문장에서 외래어의 알맞은 표기를 찾아 ○표 하세요.

1 공원을 산책하다가 (밴치 / (벤치))에 앉아서 쉬었다.

2 내 동생은 ((크레파스) / 크래파스)로 그림을 그렸다.

3 나는 해수욕장에서 (쥬브 / (튜브))를 타고 물놀이를 했다.

4 교실에 사람이 없을 때에는 ((에어컨) / 에어콘)을 꺼야 한다.

5 날씨가 추울 때에는 ((히터) / 히타)를 켜서 실내 온도를 높인다.

6 ((디지털) / 디지탈) 카메라로 찍은 사진을 컴퓨터로 전송해서 보았다.

7 ((내비게이션) / 네비게이션)은 목적지까지 30분이 걸린다고 안내했다.
찾고자 하는 위치의 지도를 안내하는 전자 장치

117

---

11 타교과 어휘 사회

✎ 빈칸에 알맞은 낱말을 써서 문장을 완성해 보세요.

1 국가는 사회 복지의 증 진 을 위하여 힘써야 한다.
기운이나 세력 등이 점점 더 늘어 가고 나아감.

도움말▲ '감퇴'는 '기운이나 세력 등이 줄어 전보다 못하여 감.'의 뜻으로 '증진'과 뜻이 반대인 말이에요.

2 상품의 유 통 과정에서 파손된 물품은 교환할 수 있다.
상품이 생산자에게서 소비자에게로 전해지기까지의 활동

3 범인은 자신의 범행을 은 폐 하기 위해 거짓말을 하였다.
가려서 숨기거나 덮어서 감춤.

4 수업 분위기를 해치는 학생에게는 적절한 제 재 가 필요하다.
규칙이나 관습을 지키지 않는 것을 제한하거나 금지함.

도움말▼ '허위'는 '진실이 아닌 것을 진실인 것처럼 꾸민 것'이에요.

5 최 기자는 허위 사실을 유 포 하여 유명 가수에게 고소를 당했다.
세상에 널리 퍼짐. 또는 세상에 널리 퍼뜨림.

6 그는 도 덕 에 어긋난 행동을 해서 많은 사람들에게 실망감을 주었다.
사회의 구성원들이 양심에 비추어 스스로 마땅히 지켜야 할 모든 규범

7 수철이는 고 의 로 창문을 깬 것이 아니라 실수로 그런 것이라고 했다.
일부러 하는 생각이나 태도

118

---

8 그는 절도죄로 징역 3년을 선 고 받았다.
법정에서 재판장이 판결을 알리는 일

9 이 문제는 철저히 사실에 입 각 하여 판단해야 한다.
어떤 사실이나 주장 따위에 근거를 두어 그 입장에 섬.

10 두 나라는 종교 문제로 인해 오랫동안 분 쟁 이 계속되었다.
말썽을 일으키어 시끄럽고 복잡하게 다툼.

11 피 고 인 은 재판에서 끝까지 자신의 잘못을 인정하지 않았다
범죄를 저지른 것으로 의심이 되어 재판을 받는 사람

12 그 학생은 시험 시간에 부정행위를 하다가 감독관에게 적 발 되었다.
숨겨져 있던 일이나 물건을 찾아 들추어냄.

도움말▼ '불순'은 '공손하지 아니함.'이라는 뜻으로도 쓰여요.

13 아무리 보아도 그의 행동에는 불 순 한 의도가 숨어 있는 것 같다.
딴 속셈이 있어 순수하거나 참되지 못함.

14 정부는 중요 정책을 국 민 투 표 에 붙이기로 결정했다.
국가의 중요한 일을 국민이 최종적으로 투표로 결정하는 제도

119

9장 여러 가지 방법으로 읽어요

📖 국어 교과서 270~295쪽

1 주제별 어휘 도자기

'도자기'는 흙을 반죽하여 모양을 만들고 말린 후 높은 열에 구워서 만든 그릇을 통틀어 이르는 말이에요. 우리나라의 도자기는 맑은 빛깔과 소박한 모양이 특징이에요.

✏️ 빈칸에 알맞은 낱말을 [보기]에서 찾아 써 보세요.

보기
꽃병   도공   연적   유약   청자   향로   항아리

❶ 꽃을 꽂는 병 ⇨ 꽃병

❷ 푸른 빛깔의 자기
도움말▲ '흰 빛깔의 자기'는 '백자'라고 해요. ⇨ 청자

❸ 향을 피우는 자그마한 그릇 ⇨ 향로

❹ 아래위가 좁고 배가 부른 질그릇 ⇨ 항아리

❺ 옹기 만드는 일을 직업으로 하는 사람 ⇨ 도공

❻ 도자기의 겉면에 빛이 나도록 바르는 약 ⇨ 유약

❼ 벼루에 먹을 갈 때 쓰는, 물을 담아 두는 그릇 ⇨ 연적

122

2 성질이나 상태를 나타내는 말 독특하다

✏️ 밑줄 친 부분을 한 낱말로 바꿔 써 보세요.

❶ 새겨진 무늬가 특별하게 다르다. ⇨ 독 특 하 다

❷ 유리컵이 속까지 환히 비치도록 맑다. ⇨ 투 명 하 다

❸ 고양이의 털이 거칠거나 뻣뻣하지 아니하다. ⇨ 부 드 럽 다

❹ 솜씨가 남보다 월등히 훌륭하거나 앞서 있다. ⇨ 뛰 어 나 다

❺ 항아리의 곡선이 거침없이 미끈하고 아름답다. ⇨ 유 려 하 다

❻ 마루가 아주 저절로 밀리어 나갈 정도로 반드럽다. ⇨ 매 끄 럽 다
도움말▲ '매끄럽다'는 '반들반들하다'와 바꿔 쓸 수 있어요.

❼ 도자기의 빛깔이 뚜렷하지 아니하고 어슴푸레하며 흐릿하다. ⇨ 은 은 하 다

123

3 헷갈리기 쉬운 말 빗다/빚다

✏️ 다음 문장에 알맞은 낱말을 찾아 ○표 하세요.

빗다	머리털을 빗 따위로 가지런히 고르다.
빚다	흙 따위의 재료를 이겨서 어떤 형태를 만들다.

❶ 흙으로 도자기를 (빗었다 / 빚었다).
도움말▲ '빚다'는 '가루를 반죽하여 만두, 송편 따위를 만들다.', '술을 담그다.' 등의 뜻도 있어요.

❷ 도공이 흙으로 독을 (빗고 / 빚고) 있다.

❸ 언니는 빗으로 머리를 곱게 (빗었다 / 빚었다).

❹ 헝클어진 머리를 손으로 (빗어 / 빚어) 내렸다.

비치다	빛이 나서 환하게 되다.
비추다	빛을 받게 하거나 빛이 통하게 하다.

❺ 전등에 필름을 (비치어 / 비추어) 보았다.

❻ 어둠 속에 달빛이 환히 (비추고 / 비치고) 있다.

❼ 검사를 위해 엑스선에 가슴을 (비치었다 / 비추었다).
도움말▲ '~이 비치다.', '~을 비추다.'로 구분하면 쉬워요.

124

짓다	재료를 들여 밥, 옷, 집 따위를 만들다.
짙다	보통 정도보다 빛깔이 강하다.

❽ 평소보다 일찍 아침을 (짓다 / 짙다).
도움말▲ '짓다'는 '여러 가지 재료를 섞어 약을 만들다.', '시, 소설, 편지 따위와 같은 글을 쓰다.' 등의 뜻도 있어요.

❾ 오늘따라 유난히 배우의 분장이 (짓다 / 짙다).

❿ 앞마당에 어미 강아지가 지낼 집을 (짓다 / 짙다).

⓫ 비가 갠 후 드러난 무지개의 색이 (짓다 / 짙다).

띠다	보통 정도보다 빛깔이 강하다.
띄다	'눈에 보이다.', '남보다 훨씬 두드러지다.'라는 뜻의 '뜨이다'의 준말

⓬ 튤립이 붉은 빛을 (띠다 / 띄다).

⓭ 도자기가 푸른 빛을 (띄다 / 띠다).

⓮ 길가에 핀 하얀 꽃이 눈에 (띠다 / 띄다).

⓯ 주차장에 세워진 빨간 자동차가 눈에 (띄다 / 띠다).

125

4 뜻을 더하는 말 -관, -점

'–관'은 '건물' 또는 '기관'의 뜻을 더하는 말이고 '–점'은 '가게' 또는 '상점'의 뜻을 더하는 말이에요.

미술관
미술품을 전시하는 시설

음식점
음식을 파는 가게

🖋 '관' 또는 '–점'을 활용하여 주어진 뜻에 알맞은 낱말을 빈칸에 써 보세요.

① 음식을 파는 가게 ⇨ 음 식 점

② 미술품을 전시하는 시설 ⇨ 미 술 관

③ 양복을 만들거나 파는 가게 ⇨ 양 복 점

도움말▲ '양복점'은 '양복집'으로도 쓸 수 있어요.

④ 영화를 상영하는 시설을 갖춘 건물 ⇨ 영 화 관

⑤ 할인된 상품만을 전문적으로 판매하는 가게 ⇨ 할 인 점

⑥ 여러 가지 상품을 종류에 따라 나누어 벌여 놓고 파는 큰 상점 ⇨ 백 화 점

⑦ 유물, 예술품 등을 수집, 전시하여 사람들의 연구와 교육을 돕는 시설 ⇨ 박 물 관

126

5 십자말풀이

26일
월
일

가로 열쇠
1. 그 나라에서 생겨나 전해 내려오는 그 나라의 문화
2. 어떤 어려운 일이라도 해내려는 굳센 정신
3. 본래부터 가지고 있는 특별한 것
4. 예술의 특성을 지닌. 또는 그런 것. ○○적
5. 무엇을 나타내 보이는 일정한 방식
6. 어떤 일이나 상황에 알맞게 행동을 함.

세로 열쇠
1. 앞의 세대에게서 물려받은 가치 있는 문화적 재산
2. 기교를 나타내는 방법
3. 아름답게 꾸밈. 또는 꾸미는 데 쓰이는 물건
4. 인간에게 유용한 것을 개발하거나 처리하고 문제를 해결하는 능력
5. 조롱박이나 둥근 박을 반으로 쪼개서 만든 작은 바가지
6. 어떤 이론이나 지식을 구체적인 일이나 다른 분야에 알맞게 맞추어 이용함.

127

6 뜻이 여러 가지인 말 높다

'높다'는 '길이가 길다.', '수치가 위에 있다.', '수준 따위가 보통보다 위에 있다.' 등의 다양한 의미를 가지고 있어요. 도움말▲ '높다'는 이 밖에도 '값이나 비율이 보통보다 위에 있다.', '지위나 신분 등이 보통보다 위에 있다.', '어떤 의견이 다른 의견보다 많고 세다.' 등의 뜻이 더 있어요.

🖋 밑줄 친 낱말의 의미가 같은 문장끼리 연결하세요.

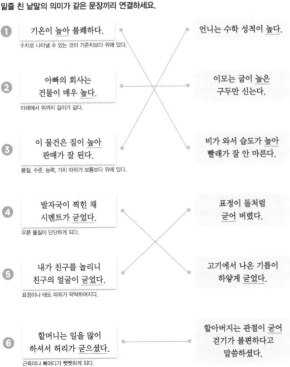

① 기온이 높아 불쾌하다.
수치로 나타낼 수 있는 것이 기준치보다 위에 있다.

② 아빠의 회사는 건물이 매우 높다.
아래에서 위까지 길이가 길다.

③ 이 물건은 질이 높아 판매가 된다.
품질, 수준, 능력, 가치 따위가 보통보다 위에 있다.

④ 발자국이 찍힌 채 시멘트가 굳었다.
무른 물질이 단단하게 되다.

⑤ 내가 친구를 놀리니 친구의 얼굴이 굳었다.
표정이나 태도 따위가 딱딱하여지다.

⑥ 할머니는 일을 많이 하셔서 허리가 굳으셨다.
근육이나 뼈마디가 뻣뻣하게 되다.

언니는 수학 성적이 높다.

이모는 굽이 높은 구두만 신는다.

비가 와서 습도가 높아 빨래가 잘 안 마른다.

표정이 돌처럼 굳어 버렸다.

고기에서 나온 기름이 하얗게 굳었다.

할아버지는 관절이 굳어 걷기가 불편하다고 말씀하셨다.

128

7 올바른 발음 발달[발딸]

한자어에서 'ㄹ' 받침 뒤에 연결되는 'ㄷ, ㅅ, ㅈ'은 된소리로 소리가 나서 [ㄸ], [ㅆ], [ㅉ]로 소리가 나요.

기술의 발달[발딸]
한자어

26일
월
일

🖋 밑줄 친 낱말의 알맞은 발음을 찾아 ○표 하세요.

① 소금은 물에 잘 녹는 물질이다. ⇨ [물질] ([물찔])
공간의 일부를 차지하고 질량을 갖는 요소

도움말▼ '해녀들이 바닷속에 들어가서 해산물을 따는 일'을 의미하는 '물질'은 '순우리말'이에요. 따라서 'ㄹ' 받침 뒤에 오는 자음을 된소리로 발음하지 않아요.

② 해녀가 바다로 물질을 하러 간다. ⇨ ([물질]) [물찔]
해녀들이 바닷속에 들어가서 해산물을 따는 일

③ 달리기를 하니 몹시 갈증이 났다. ⇨ [갈증] ([갈쯩])

④ 기술의 발달로 생활이 편리해졌다. ⇨ [발달] ([발딸])

도움말▼ '불장난'도 순우리말이에요.
⑤ 아이들이 몰래 불장난을 하고 있었다. ⇨ ([불장난]) [불짱난]

⑥ 절도를 저지른 범인이 경찰에게 잡혔다. ⇨ [절도] ([절또])

⑦ 소방관들은 신고가 들어오자마자 출동한다. ⇨ [출동] ([출똥])

129

8 활용형

낱말이 활용을 할 때 일정하게 활용을 하는 말과 보통과는 다르게 활용을 하는 말이 있어요. 'ㅅ'이 받침인 말은 '웃다/웃어'처럼 활용을 하지만 예외로 '잇다/이어'와 같이 'ㅅ'이 탈락하는 경우가 있어요.

웃다 → 웃고, 웃어…
규칙적으로 활용

잇다 → 잇고, 이어…
불규칙하게 활용

✎ 낱말의 알맞은 활용형을 찾아 ○표 하세요.

① 붓다 ⇨ 국에 물을 더 (부어/ 붓어) 끓였다.

② 잇다 ⇨ 종이 두 장을 (이어/ 잇어) 붙였다.

③ 낫다 ⇨ 수정이는 병이 (나아/ 낫아) 퇴원을 한다.

④ 벗다 ⇨ 집에 와서 옷을 (버어 /벗어) 옷걸이에 걸었다.

⑤ 짓다 ⇨ 강아지 이름을 복덩이라고 (지어/ 짓어) 주었다.

도움말▼ '씻다'는 '현재의 좋지 않은 상태에서 벗어나다.'라는 뜻으로 사용되었어요.

⑥ 씻다 ⇨ 여행은 당신의 걱정을 깨끗이 (씻서 /씻어) 줄 것입니다.

130

9 순화어 알림판

'순화어'는 지나치게 어렵거나 규범에 맞지 않는 말, 또는 외래어를 대신해서 쓸 수 있도록 다듬은 말이에요. '바코드, 플래카드, 게시판, 큐아르 코드' 따위는 각각 '막대 표시, 현수막, 알림판, 정보 무늬' 따위로 순화해서 써요.

✎ 다음 그림에 알맞은 말을 [보기]에서 찾아 써 보세요.

보기

알림판   현수막   막대 표시   정보 무늬

①

0 04679 67844 7

막대 표시
상품의 포장이나 꼬리표에 표시된 검고 흰 줄무늬

② 축 입 학
한국 초등학교

현수막
긴 천에 글 따위를 적어 내걸거나 늘어뜨린 천

③ 알림판
알릴 내용을 내붙이거나 내걸어 두루 보게 붙이는 판

④

정보 무늬
흑백의 네모꼴의 그림으로 여러 가지 정보를 나타내는 표식

131

10 타교과 어휘 과학

✎ 주어진 뜻에 알맞은 낱말을 찾아 ○표 하세요.

① 현미경에서 관찰 재료를 얹어 놓는 평평한 대 ⇨ 재물대 재물판

② 하나의 세포로 이루어진 생물을 통틀어 이르는 말 ⇨ 원형생물 원생생물

③ 광합성을 하지 않는 하등 식물을 통틀어 이르는 말 ⇨ 균류 균종

④ 현미경, 망원경 따위에서 물체에 가까운 쪽의 렌즈 ⇨ 대물렌즈 대안렌즈

⑤ 현미경이나 망원경에서 눈으로 보는 쪽의 렌즈 ⇨ 접안렌즈 접점렌즈

⑥ 몸속에 들어간 병균이나 바이러스로 인해 폐에 생기는 염증 ⇨ 폐염 폐렴

도움말▲ 폐렴에 걸리면 '고열, 기침, 호흡 곤란' 따위의 증상을 보여요.

⑦ 식물이 암수가 결합하지 않는 방식으로 번식하기 위해 만들어 내는 생식 세포 ⇨ 포자 모포

132

✎ 빈칸에 알맞은 낱말을 써서 문장을 완성해 보세요.

① 남해안의 적 조 가 예상외로 아주 오래갔다.
미생물의 번식으로 바닷물이 붉게 물들어 보이는 현상

② 세균이 배 양 되어 그 수가 몇 배나 늘어나게 되었다.
세포나 균 따위를 인공적으로 가꾸어 기름.

③ 습기가 많은 곳에서는 곰팡이가 쉽게 번 식 한다.
생물체의 수나 양이 늘어서 많이 퍼짐

④ 물을 수소와 산소로 분 해 하면 수소를 얻어 낼 수 있다.
어떤 부분으로 이루어진 것을 그 부분이나 성분으로 따로따로 나눔.

⑤ 현미경을 통해 눈으로는 볼 수 없는 미 생 물 을 관찰했다.
맨눈으로 볼 수 없는 아주 작은 생물

⑥ 배 율 이 높은 현미경을 사용하면 더 작은 물체도 관찰할 수 있다.
거울, 렌즈, 망원경, 현미경 등을 통하여 보이는 물체의 크기와 실제 크기의 비율

⑦ 성 장 기 에 있는 아이들은 뭐든지 잘 먹고 적당한 운동을 해야 한다.
성장하는 시기

133

10 장 주인공이 되어

📖 국어 교과서 296~325쪽

1 흉내 내는 말 느물느물

🖊 밑줄 친 부분의 글자 순서를 바르게 고쳐 써 보세요.

① 철수는 **뚱멀뚱멀** 나를 쳐다보았다.
눈빛이나 정신 따위가 멍청하고 생기가 없는 모양
⇒ 멀뚱멀뚱

② **쭈물우물** 망설이지 말고 말을 해 봐.
행동 따위를 자꾸 망설이며 몹시 흐리멍덩하게 하는 모양
⇒ 우물쭈물

도움말 ▲ '우물쭈물'은 '머뭇머뭇, 주뼛주뼛'
따위와 바꿔 쓸 수 있어요.

③ 친구가 **글글싱싱** 웃으며 나를 반긴다.
눈과 입을 슬며시 움직이며 소리 없이 정답게 자꾸 웃는 모양
⇒ 싱글싱글

④ 시험이 다가오자 가슴이 **바짝짝바** 탔다.
자꾸 매우 긴장하거나 힘주는 모양
⇒ 바짝바짝

⑤ 나는 장난처럼 말하면서 **물물느느** 웃었다.
행동이나 말을 자꾸 능글맞게 하는 모양
⇒ 느물느물

⑥ 나는 겨우 화를 참으며 몸을 **르부르** 떨었다.
크고 가볍게 떠는 모양
⇒ 부르르

⑦ 언니는 할머니가 주는 사탕을 **름널널름** 받았다.
무엇을 자꾸 빠르게 받아 가지는 모양
⇒ 널름널름

136

2 꾸며 주는 말 나지막이

🖊 빈칸에 알맞은 낱말을 [보기]에서 찾아 써 보세요.

보기
하필 이따금 나지막이 일찌감치 틀림없이 하마터면 한결같이

28일
월
일

① 하필 소풍을 가는 날 비가 오다니.
다른 방법으로 하지 아니하고 어찌하여 꼭

② 남이 듣지 못할 만큼 나지막이 이야기했다.
소리가 꽤 낮게

도움말 ▼ '일찌감치'는 '일찌거니'로도 쓸 수 있어요.

③ 아침을 일찌감치 먹고 서둘러 집을 나섰다.
조금 이르다고 할 정도로 얼른

④ 이번에는 우리 팀이 틀림없이 우승할 것이다.
조금도 어긋나는 일 없이

⑤ 늦잠을 자는 바람에 하마터면 지각을 할 뻔했다.
조금만 잘못하였더라면

도움말 ▼ '흔히, 자주'는 '이따금'과 뜻이 반대인 말이에요.

⑥ 나는 심심할 때면 이따금 공원으로 산책을 간다.
얼마쯤씩 있다가 가끔

⑦ 모두들 그에 대한 믿음만은 한결같이 흔들리지 않았다.
처음부터 끝까지 변함없이 꼭 같이

137

3 뜻을 더하는 말 -거리다

'-거리다'는 '그런 상태가 잇따라 계속됨.'의 뜻을 더하고 움직임을 나타내는 말을 만드는 말
이에요.
도움말 ▲ '-대다'는 '-거리다'와 같은 말이에요.

🖊 [보기]의 글자 카드를 사용하여 문장 안의 낱말을 완성해 보세요.

보기
간 질 긁 적 빈 정
수 군 울 렁 투 덜

① 다른 사람의 말을 빈 정 거 리 다 .
남을 은근히 비웃는 태도로 자꾸 놀리다.

도움말 ▼ '두덜거리다'는 '투덜거리다'보다
여린 느낌을 주는 말이에요.

② 일이 잘 풀리지 않아 투 덜 거 리 다 .
알아듣기 어려울 정도의 낮은 목소리로 자꾸 불평을 하다.

③ 기침이 나오려고 목구멍이 간 질 거 리 다 .
간지러운 느낌이 자꾸 들다.

④ 삼삼오오 모여 자기네끼리 수 군 거 리 다 .
남이 알아듣지 못하도록 낮은 목소리로 자꾸 이야기하다.

⑤ 갑작스러운 질문에 당황해 머리를 긁 적 거 리 다 .
손톱이나 뾰족한 기구로 바닥이나 거죽을 자꾸 문지르다.

⑥ 차를 오랫동안 타니 멀미가 나서 속이 울 렁 거 리 다 .
속이 메스꺼워 자꾸 토할 것 같다.

138

4 자주 쓰는 말 눈치를 보다

🖊 빈칸에 알맞은 말을 [보기]에서 찾아 써 보세요.

보기
뒤를 잇다   혀를 차다   눈치를 보다   뜸을 들이다
몸살을 앓다   열을 올리다   고개를 끄덕이다

28일
월
일

① 비밀을 말하기 전에 뜸을 들이다 .
일이나 말을 할 때에, 한동안 가만히 있는
경우를 비유적으로 이르는 말

② 아이들의 싸움을 보며 혀를 차다 .
마음이 언짢거나 유감의 뜻을 나타내다.

③ 서영이가 선학을 간 부빈장의 뒤를 잇다 .
사람이 가문의 대나 직위의 뒤를 이어가다.

④ 반장의 말에 반 친구들이 고개를 끄덕이다 .
옳다거나 좋다는 뜻으로 고개를 위아래로 흔들다.

⑤ 컴퓨터 게임을 하고 싶어서 엄마의 눈치를 보다 .
남의 마음과 태도를 살피다.

⑥ 쓰레기 처리 문제로 동네 주민들이 몸살을 앓다 .
어떤 일로 인하여 고통을 겪다.

도움말 ▼ '열을 올리다'는 '열을 내다'로도 쓸 수 있어요.

⑦ 한 표라도 더 받기 위해 선거 운동에 열을 올리다 .
무엇에 열중하거나 열성을 보이다.

139

5 띄어쓰기 보다

'보다'가 '앞말을 시험 삼아 함.'을 나타내는 말일 때는 앞말과 띄어 쓰는 것이 원칙이고, 붙여 쓰는 것도 허용해요. 그러나 '몰라보다'처럼 다른 말에 붙어 한 낱말로 쓰일 때에는 항상 붙여 써야 해요.

> 새로운 음식을 **먹어 ✓ 보다.**
> 앞말을 도와주는 말
>
> 친구를 **몰라보다.**
> 하나의 낱말

다음 문장을 주어진 횟수에 따라 바르게 띄어 써 보세요.

1 책을대강훑어보다. (2회)

| 책 | 을 | | 대 | 강 | | 훑 | 어 | 보 | 다 | . |

2 반장선거에나가보다. (3회)

| 반 | 장 | | 선 | 거 | 에 | | 나 | 가 | | 보 | 다 | . |

3 밤하늘의달을쳐다보다. (2회)

| 밤 | 하 | 늘 | 의 | | 달 | 을 | | 쳐 | 다 | 보 | 다 | . |

4 친구의변명을들어보다. (3회)

| 친 | 구 | 의 | | 변 | 명 | 을 | | 들 | 어 | | 보 | 다 | . |

5 친구가만든빵을먹어보다. (4회)

| 친 | 구 | 가 | | 만 | 든 | | 빵 | 을 | | 먹 | 어 | | 보 | 다 | . |

6 어제새로산옷을입어보다. (5회)

| 어 | 제 | | 새 | 로 | | 산 | | 옷 | 을 | | 입 | 어 | | 보 | 다 | . |

7 나를부르는소리에뒤돌아보다. (3회)

| 나 | 를 | | 부 | 르 | 는 | | 소 | 리 | 에 | | 뒤 | 돌 | 아 | 보 | 다 | . |

140

---

6 줄여 쓰는 말 얘기

밑줄 친 낱말의 알맞은 준말을 찾아 ○표 하세요.

1 머리카락이 비에 젖어 축축하다. ⇨ (머리칼) 멀카락

2 일이 너무 많아서 잠시도 쉴 겨를이 없다. ⇨ 결 (곁)

3 어제 무슨 일이 있었는지 이야기 좀 해 봐. ⇨ (얘기) 예기

4 친한 친구가 전학을 가니 마음이 좋지 않다. ⇨ 맴 (맘)

5 초콜릿을 입에 가만히 넣고 있으면 저절로 녹는다. ⇨ (절로) 젤로
> 도움말▲ '절로'는 '저리로'의 준말이기도 해요.
> 예 이쪽 말고 절로 가라.

6 방문을 여는 소리가 잘가닥 나더니 동생이 들어 ⇨ (잘각) 잘닥
왔다. 도움말▲ '잘가닥'보다 센 느낌을 주는 말인
'짤가닥'은 '짤각'으로 줄여 쓸 수 있어요.

7 그는 키도 크고 공부도 잘해서 시새움을 많이 받 ⇨ 시셈 (시샘)
는다.

141

---

7 움직임을 나타내는 말 도맡다

밑줄 친 낱말의 알맞은 뜻을 찾아 번호를 써 보세요.

1 선생님께서 교실을 이리저리 둘러보셨다. (②)
① 주의 깊게 잘 살펴보셨다.
② 주위를 이리저리 두루 살펴보셨다.
> 도움말▲ '주위 깊게 잘 살펴보다.'를
> 뜻하는 낱말은 '눈여겨보다'예요.

2 학생들이 학교 행사를 준비하느라 몹시 분주하다. (①)
① 몹시 바쁘게 뛰어다니다.
② 번거롭게 뒤섞여 어수선하다.
> 도움말▲ '번거롭게 뒤섞여 어수선하다.'를
> 뜻하는 낱말은 '번잡하다'예요.

3 갑작스러운 질문에 어떻게 대답할지 망설이고 있었다. (②)
① 침착하지 못하고 서두르고
② 이리저리 생각만 하고 태도를 결정하지 못하고

4 준수는 어려운 일들을 도맡게 되었다. (②)
① 갑작스럽게 하거나 몹시 서두르게
② 혼자서 책임을 지고 몰아서 모든 것을 돌보거나 해내게

5 대화 중에 갑자기 끼어드는 것은 잘못된 행동이다. (②)
① 하던 일을 하지 아니하게 되거나 멈추게 되는
② 자기 순서나 자리가 아닌 틈 사이를 비집고 들어서는
> 도움말▲ '하던 일을 하지 아니하게 되거나
> 멈추게 되다.'를 뜻하는 낱말은 '끊어지다'예요.

6 그는 아이에게 자꾸 떼를 쓰면 경찰을 부른다고 을러댔다. (①)
① 무서운 말이나 행동으로 남을 억눌렀다.
② 다른 사람이 하고자 하는 어떤 행동을 못하게 방해했다.

142

---

8 바꿔 쓸 수 있는 말 말투

밑줄 친 낱말과 바꿔 쓸 수 있는 낱말을 [보기]에서 찾아 써 보세요.

> **보기**
> 덕분 뜻밖 말씨 사방 신망 뒤통수 말다툼

1 우리 선생님은 말투가 상냥하시다. ⇨ 말씨
말을 하는 버릇이나 형식

> 도움말▼ '말싸움'은 '설전'으로도 쓸 수 있어요.

2 사소한 일로 친구와 말싸움을 했다. ⇨ 말다툼
말로 옳고 그름을 가리는 다툼

3 준영이가 상을 받는 것이 의외이다. ⇨ 뜻밖
전혀 생각이나 예상을 하지 못함.

4 네 덕택에 일을 쉽게 할 수 있었어. ⇨ 덕분
베풀어 준 은혜나 도움

5 오빠는 부끄러울 때면 뒷머리를 긁는다. ⇨ 뒤통수
머리의 뒷부분

> 도움말▼ '불신'은 '신임'과 뜻이 반대인 말이에요.

6 그는 책임감이 강해서 사람들의 신임을 받았다. ⇨ 신망
믿고 일을 맡김. 또는 그 믿음

7 소문을 듣고 도처에서 많은 사람들이 몰려왔다. ⇨ 사방
동, 서, 남, 북 네 방위를 통틀어 이르는 말

143

9 헷갈리기 쉬운 말 아니오/아니요

'아니요'는 대답할 때 쓰는 말로 '예'와 대응되는 말이고, '아니오'는 '아니다'의 활용형이에요. 한편, '-요'는 어떤 사물이나 사실 따위를 열거할 때 쓰이는 말이에요.

아니요. 제가 안 그랬어요.   이것은 책이 **아니오.**   이것은 말이 **아니오.** 소이다.

✏️ 다음 문장에 어울리는 낱말을 찾아 ○표 하세요.

1 이것은 내 것이 (**아니오**/ 아니요).

2 나는 이 집에 사는 사람이 (**아니오**/ 아니요).

3 우리는 형제가 (아니오 /**아니요**), 친구랍니다.

4 (아니오 /**아니요**), 저는 아침을 안 먹었습니다.

5 이것은 복숭아가 (아니오 /**아니요**), 자두입니다.

6 (아니오 /**아니요**), 저는 이 학교 학생이 아니에요.

7 나는 당신이 생각하는 그런 사람이 (**아니오**/ 아니요).

144

---

10 뜻을 보충하는 말 버리다

> 도움말 ▼ '뜻을 보충하는 말'은 앞말과 연결되어 그것의 뜻을 보충하는 역할을 해요. 앞말과 띄어 쓰는 것이 원칙이지만 붙여 쓰는 것도 허용돼요.

30일
○ 월
○ 일

✏️ 빈칸에 알맞은 낱말을 찾아 연결하고, 바르게 써 보세요.

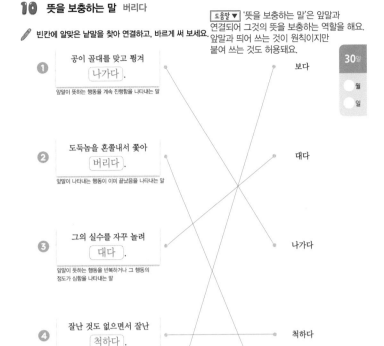

1 공이 골대를 맞고 튕겨
　나가다 .
　앞말이 뜻하는 행동을 계속 진행함을 나타내는 말

2 도둑놈을 혼쭐내서 쫓아
　버리다 .
　앞말이 나타내는 행동이 이미 끝났음을 나타내는 말

3 그의 실수를 자꾸 놀려
　대다 .
　앞말이 뜻하는 행동을 반복하거나 그 행동의 정도가 심함을 나타내는 말

4 잘난 것도 없으면서 잘난
　척하다 .
　앞말이 뜻하는 행동이나 상태를 거짓으로 그럴듯하게 꾸밈을 나타내는 말

5 시끄러운 소리가 나서 밖에 나가 보다 .
　어떤 행동을 시험 삼아 함을 나타내는 말

보다
대다
나가다
척하다
버리다

145

---

11 〔타교과 어휘〕 도덕

✏️ 빈칸에 알맞은 낱말을 써서 문장을 완성해 보세요.

1 영란이는 성격이 밝고 명 랑 해서 인기가 많다.
　유쾌하고 활발함.

2 우리는 모두 한마음으로 힘을 합쳐 어려움을 극 복 했다.
　나쁜 조건이나 힘든 일 등을 이겨 냄.

3 희정이는 사고 후 유 증 으로 손가락이 잘 접히지 않는다.
　어떤 병을 앓고 난 뒤에도 남아 있는 증상

> 도움말 ▼ '시기'는 '시새움'과 바꿔 쓸 수 있어요.

4 진정한 친구는 친구가 잘 되는 것을 시 기 하지 않고 응원한다.
　남이 잘되는 것을 싫어하여 미워함.

5 활 기 찬 하루를 보내기 위해 일찍 일어나 가벼운 운동을 하였다.
　힘이 넘치고 생기가 가득한

6 자신에게 주어진 임 무 를 성실히 하다 보면 좋은 결과가 있을 것이다.
　맡은 일. 또는 맡겨진 일

7 수아는 계속 시험에서 떨어지자 자기 능력에 대한 회 의 감 이 들었다.
　의심이 드는 느낌

146

---

8 그녀는 친구에게 주변 사람들에 대한 비 난 을 늘어놓았다.
　다른 사람의 잘못이나 결점에 대하여 나쁘게 말함.

> 도움말 ▼ '포악'은 '성격이나 태도 따위가 사납고 악함.' 이라는 뜻으로 '온유'와 뜻이 반대인 말이에요.

30일
○ 월
○ 일

9 선생님께서는 모든 학생들을 언제나 온 유 하게 대하신다.
　성격, 태도 따위가 온화하고 부드러움.

10 충 동 에 따라 행동을 하는 것은 후회를 불러일으킬 수 있다.
　순간적으로 어떤 행동을 하고 싶다고 느끼는 마음

11 다른 사람의 약 점 을 꼬집어서 놀리는 것은 잘못된 행동이다.
　다른 사람에 비해 부족해서 불리한 점

12 나는 토요일마다 봉사 활동을 하면서 매우 큰 보 람 을 느낀다.
　어떤 일을 한 뒤에 얻어지는 좋은 결과나 만족감

13 내가 실수를 했을 때 "괜찮아"라는 엄마의 말이 큰 위 로 가 되었다.
　따뜻한 말이나 행동 따위로 괴로움을 덜어 주거나 슬픔을 달래 줌.

14 도서관에서 다른 사람의 공부에 방 해 가 될까 봐 책장을 조용히 넘겼다.
　일이 제대로 되지 못하도록 끼어들고 막음.

147

MEMO

[숨마 어린이®] 는

중고교 상위권 선호도 1위 브랜드 **숨마쿰라우데®** 가 만든
초등학생들을 위한 혁신적인 **초등 브랜드**입니다 !

초등국어 어휘왕 시리즈 (초3 ~ 초6 학기별 총 8권)

"초등국어 어휘왕"은
많은 교사와 학부모들이 적극 추천하는 교재입니다.

'초등국어 어휘왕'은 학교 수업과 병행하여 학습할 수 있다는 장점이 있습니다. 기본적인 문법 개념, 맞춤법, 띄어쓰기까지 모두 담고 있어, 교재를 한번 꼼꼼히 공부하고 나면 어휘력 향상에 많은 도움이 됩니다.　　대명초 **정지원** 선생님

교과 어휘의 중요성은 거듭 강조해도 지나치지 않습니다. 교과서에 수록된 어휘들을 단원별로 잘 정리하여 재미있게 학습할 수 있도록 한 교재가 바로 '초등국어 어휘왕'입니다. 초등국어 어휘왕을 꾸준히 공부하면 학습의 기틀을 확실하게 마련할 수 있습니다.　　수내초 **우정민** 선생님

학교 현장에는 교과서에 나온 어휘를 제대로 이해하지 못해 교과 학습에 어려움을 겪는 학생들이 많습니다. 학생들이 '초등국어 어휘왕'을 통해 단원별 주요 어휘들을 예습·복습하는 것만으로도 학교 수업을 이해하는 데 많은 도움이 될 것입니다.　　세륜초 **김민하** 선생님

쉬운 설명과 예문으로 어휘의 기본 개념을 설명해 주니 아이가 쉽게 이해하네요. 역시 어휘 학습은 암기보다는 예문을 통해 공부하는 것이 효과적이라는 생각이 듭니다.　　초등맘 블로거 **제이드림**님

'초등국어 독해왕 시리즈'로 학습을 마친 우리 둘째 아이는 글을 읽는 데 자신감이 생겼다고 말해요. '초등국어 어휘왕'으로 공부해서 어휘력에도 자신감을 갖게 되기를 기대해 봅니다.　　초등맘 블로거 **오렌지자몽**님

'초등국어 어휘왕'은 국어 교과 단원과 연계되어 있어 교과서와 함께 학습하면 좋은 교재예요. '초등국어 어휘왕'으로 미리 예습을 하면 학교 수업을 더 잘 이해할 수 있겠어요.　　초등맘 블로거 **마미브라운베어**님

어휘력은 어휘의 의미를 확인하고 실제 활용을 해 봐야 는다고 생각해요. '초등국어 어휘왕'은 교과서 어휘를 중심으로 우리가 생활에서 많이 활용하는 어휘들을 재미있는 문제 풀이를 통해 익힐 수 있어서 부담스럽지 않게 학습할 수 있는 교재랍니다.　　초등맘 블로거 **소안맘**님

이룸이앤비의 특별한 중등 국어교재 시리즈

숨마 주니어® 중학국어 어휘력 시리즈

중학교 국어 실력을 완성시키는 **국어 어휘 기본서** (전3권)

- 중학국어 **어휘력 ❶**
- 중학국어 **어휘력 ❷**
- 중학국어 **어휘력 ❸**

숨마 주니어® 중학국어 비문학 독해 연습 시리즈

모든 공부의 기본! 글 읽기 능력을 향상시키는
국어 비문학 독해 기본서 (전3권)

- 중학국어 **비문학 독해 연습 ❶**
- 중학국어 **비문학 독해 연습 ❷**
- 중학국어 **비문학 독해 연습 ❸**

숨마 주니어® 중학국어 문법 연습 시리즈

중학국어 **주요 교과서** 종합!

중학생이 꼭 알아야 할 **필수 문법서** (전2권)

- 중학국어 **문법 연습 1** 기본
- 중학국어 **문법 연습 2** 심화